GT
514

Vier spannende Fälle aus der Feder des großen Kriminal-
autors in englisch-deutschem Paralleldruck:
– Eine Firma wird ruiniert, der Betrüger verschwindet
  scheinbar spurlos, und nur weil Kommissar Reeder auch
  in seiner Freizeit von seinem Beruf nicht lassen kann,
  wird der ohnehin mysteriöse Fall durch einen noch mys-
  teriöseren aufgeklärt.
– Ein Einbrecher, Meister seines Faches und immer der
  Geschickteste von allen, aber an einem fehlt es ihm: an
  Kaltblütigkeit.
– Pferderennen, Wetten und ausgebuffte Spieler – im Be-
  trügen machen sich ein Onkel und sein Neffe gegenseitig
  Konkurrenz.
– Noch einmal schlägt Mr. Reeder zu, spielt sein Spiel mit
  den Bösen, und stünde er nicht auf der Seite des Gesetzes,
  wäre er sicherlich der erfolgreichste aller Verbrecher.
Edgar Wallace lebte von 1875 bis 1932. Seine Bücher sind in
44 Sprachen übersetzt worden und in vielen Millionen Ex-
emplaren verbreitet, ihre Verfilmungen haben ein Millio-
nenpublikum in Bann geschlagen. Edgar-Wallace-Krimis
sind Klassiker und eine packende Lektüre zur Auffrischung
der Englischkenntnisse.

Edgar Wallace

Crime Classics   Krimiklassiker

Vier spannende Fälle

Ausgewählt und übersetzt
von Anne Rademacher

Deutscher Taschenbuch Verlag

dtv zweisprachig
Begründet von Kristof Wachinger-Langewiesche

Originalausgabe / Neuübersetzung
1. Auflage November 2006
Deutscher Taschenbuch Verlag GmbH & Co. KG, München
www.dtv.de zweisprachig@dtv.de
Die deutsche Übersetzung ist urheberrechtlich geschützt.
Sämtliche, auch auszugsweise Verwertungen bleiben vorbehalten.
Umschlagkonzept: Balk & Brumshagen
Umschlaggestaltung: Claudia Danners unter Verwendung des
Gemäldes ‹Ode to Sir Giles› (1998)
von Lee Campbell (Bridgeman Giraudon)
Satz: KOMDATA, Wachtendonk
Druck und Bindung: Kösel, Krugzell
Gedruckt auf säurefreiem, chlorfrei gebleichtem Papier
Printed in Germany
ISBN-13: 978-3-423-09462-7
ISBN-10: 3-423-09462-1

The Stealer of Marble · Die Marmordiebin   6 · 7

Sentimental Simpson · Der Sentimentale Simpson   50 · 51

White Stockings · Weiße Fesseln   88 · 89

The Green Mamba · Die Grüne Mamba   134 · 135

The Stealer of Marble

Margaret Belman's chiefest claim to Mr. Reeder's notice was that she lived in the Brockley Road, some few doors from his own establishment. He did not know her name, being wholly incurious about law-abiding folk, but he was aware that she was pretty, that her complexion was that pink and white which is seldom seen away from a magazine cover. She dressed well, and if there was one thing that he noted about her more than any other, it was that she walked and carried herself with a certain grace that was especially pleasing to a man of aesthetic predilections.

He had, on occasions, walked behind her and before her, and had ridden on the same street car with her to Westminster Bridge. She invariably descended at the corner of the Embankment, and was as invariably met by a good-looking young man and walked away with him. The presence of that young man was a source of passive satisfaction to Mr. Reeder, for no particular reason, unless it was that he had a tidy mind, and preferred a rose when it had a background of fern and grew uneasy at the sight of a saucerless cup.

It did not occur to him that he was an object of interest and curiosity to Miss Belman.

"That was Mr. Reeder – he has something to do with the police, I think," she said.

"Mr. J. G. Reeder?"

Roy Master looked back with interest at the middle-aged man scampering fearfully across the road, his unusual hat on the back of his head, his umbrella over his shoulder like a cavalryman's sword.

Die Marmordiebin

Margaret Belman war Mr. Reeder vor allem deshalb aufgefallen, weil sie nur wenige Türen von ihm entfernt in der Brockley Road wohnte. Da ihn gesetzestreue Menschen nicht weiter interessierten, kannte er noch nicht einmal ihren Namen, doch dass sie hübsch war, hatte er durchaus bemerkt. Ihr Teint hatte diese Mischung aus rosig und blass, wie man sie meist nur auf den Titelseiten der Illustrierten findet. Sie kleidete sich gut, und wenn es etwas gab, das ihm besonders ins Auge fiel, dann war es die gewisse Anmut ihrer Haltung und ihrer Bewegungen, die für einen Mann mit ästhetischen Neigungen eine besondere Freude bedeutete.

Gelegentlich war er schon vor ihr oder hinter ihr her gegangen oder sie hatten in derselben Straßenbahn zur Westminster Bridge gesessen. Jedes Mal stieg sie an der Ecke zur Embankment aus, und jedes Mal wurde sie von einem gut aussehenden jungen Mann abgeholt. Dass es diesen jungen Mann gab, stellte Mr. Reeder auf stille Weise zufrieden, wozu er eigentlich keinen besonderen Grund hatte, außer vielleicht seine Ordnungsliebe: Rosen mochte er lieber vor einem Hintergrund aus Farn, und der Anblick einer Tasse ohne Untertasse bereitete ihm Unbehagen.

Niemals wäre er auf die Idee gekommen, dass er die Neugier und das Interesse von Miss Belman geweckt hatte.

«Das war Mr. Reeder. Ich glaube, er hat was mit der Polizei zu tun», sagte sie.

«Mr. J. G. Reeder?»

Interessiert schaute sich Roy Master zu dem Mann mittleren Alters um, der ängstlich über die Straße huschte. Er hatte einen ungewöhnlichen Hut auf dem Kopf und trug seinen Regenschirm über der Schulter wie ein Kavallerist sein Schwert.

"Good Lord! I never dreamt he was like that."

"Who is he?" she asked, distracted from her own problem.

"Reeder? He's in the Public Prosecutor's Department, a sort of a detective – there was a case the other week where he gave evidence. He used to be with the Bank of England – "

Suddenly she stopped, and he looked at her in surprise.

"What's the matter?" he asked.

"I don't want you to go any farther, Roy," she said. "Mr. Telfer saw me with you yesterday, and he's quite unpleasant about it."

"Telfer?" said the young man indignantly. That little worm! What did he say?"

"Nothing very much," she replied, but from her tone he gathered that the "nothing very much" had been a little disturbing.

"I am leaving Telfers," she said unexpectedly. "It is a good job, and I shall never get another like it – I mean, so far as the pay is concerned."

Roy Master did not attempt to conceal his satisfaction.

"I'm jolly glad," he said vigorously. "I can't imagine how you've endured that boudoir atmosphere so long. What did he say?" he asked again, and, before she could answer: "Anyway, Telfers are shaky. There are all sorts of queer rumours about them in the City."

"But I thought it was a very rich corporation!" she said in astonishment.

He shook his head.

"It was – but they have been doing lunatic things – what can you expect when a halfwitted weakling like Sidney Telfer is at the head of af-

«Meine Güte! So hätte ich ihn mir niemals vorgestellt!»

«Was macht er?», fragte sie und war eine Weile von den eigenen Sorgen abgelenkt.

«Reeder? Er ist eine Art Detektiv und arbeitet in der Staatsanwaltschaft. Letzte Woche gab es eine Verhandlung, in der er als Zeuge ausgesagt hat. Früher war er bei der Bank von England.»

Sie blieb abrupt stehen, und er blickte sie verwundert an.

«Was ist los?», fragte er.

«Geh bitte nicht weiter mit, Roy», sagte sie. «Mr. Telfer hat mich gestern mit dir gesehen und ist darüber sehr ungehalten.»

«Telfer?», empörte sich der junge Mann. «Dieser kleine Wurm? Was hat er gesagt?»

«Nicht sehr viel», erwiderte sie, aber ihr Ton verriet ihm, dass dieses «nicht sehr viel» ein wenig beunruhigend war.

«Ich werde die Firma Telfer verlassen», sagte sie wie aus heiterem Himmel. «Es ist eine gute Stelle, und ich werde keine vergleichbare mehr finden, ich meine, was die Bezahlung angeht.»

Roy Master versuchte nicht, seine Genugtuung zu verbergen.

«Da bin ich echt froh», sagte er im Brustton der Überzeugung. «Ich weiß gar nicht, wie du diese Boudoiratmosphäre so lange ausgehalten hast. Was hat er gesagt?», fragte er, wartete ihre Antwort aber nicht ab. «Der Firma Telfer geht es ohnehin nicht gut. In der Stadt hört man die seltsamsten Gerüchte.»

«Aber ich dachte, es sei ein sehr reiches Unternehmen!», staunte sie.

Er schüttelte den Kopf.

«Das war es, aber sie haben verrückte Sachen gemacht. Was kann man von einer Firma, die von einem blödsinnigen Schwächling wie Sidney Telfer geleitet wird, schon

fairs? They underwrote three concerns last year that no brokerage business would have touched with a barge-pole, and they had to take up the shares. One was a lost treasure company to raise a Spanish galleon that sank three hundred years ago! But what really did happen yesterday morning?"

"I will tell you tonight," she said, and made her hasty adieux.

Mr. Sidney Telfer had arrived when she went into a room which, in its luxurious appointments, its soft carpet and dainty etceteras, was not wholly undeserving of Roy Masters' description.

The head of Telfers Consolidated seldom visited his main office on Threadneedle Street. The atmosphere of the place, he said, depressed him; it was all so horrid and sordid and rough. The founder of the firm, his grandfather, had died ten years before Sidney had been born, leaving the business to a son, a chronic invalid, who had died a few weeks after Sidney first saw the light. In the hands of trustees the business had flourished, despite the spasmodic interferences of his eccentric mother, whose peculiarities culminated in a will which relieved him of most of that restraint which is wisely laid upon a boy of sixteen.

The room, with its stained-glass windows and luxurious furnishing, fitted Mr. Telfer perfectly, for he was exquisitely arrayed. He was tall and so painfully thin that the abnormal smallness of his head was not at first apparent. As the girl came into the room he was sniffing delicately at a fine cambric handkerchief, and she thought that he was paler than she had ever seen him – and more repellent.

anderes erwarten? Letztes Jahr haben sie für drei Unternehmen gebürgt, die kein Börsenmakler auch nur mit der Beißzange angefasst hätte, und waren gezwungen, die nicht verkauften Aktien zu übernehmen. Eins der Unternehmen war eine Schatzsuchergesellschaft, die eine vor dreihundert Jahren gesunkene spanische Galeone heben wollte! Aber was ist gestern Morgen nun wirklich passiert?»

«Ich erzähle es dir heute Abend», sagte sie und verabschiedete sich hastig.

Als sie das Zimmer betrat, das mit seiner luxuriösen Ausstattung, dem weichen Teppich und dem exquisiten Nippes der Beschreibung von Roy Master durchaus gerecht wurde, war Mr. Sidney Telfer bereits anwesend.

Der Firmenchef von Telfers Consolidated besuchte nur selten den Hauptsitz in der Threadneedle Street. Er behauptete, die Atmosphäre dort als bedrückend zu empfinden, alles sei so scheußlich, schmutzig und primitiv. Sein Großvater, der Firmengründer, war zehn Jahre vor Sidneys Geburt gestorben und hatte die Firma seinem chronisch kranken Sohn überlassen, der wiederum wenige Wochen, nachdem Sidney das Licht der Welt erblickte, starb. Unter der Verwaltung der Treuhänder florierten die Firmengeschäfte trotz der gelegentlichen Einmischung seiner exzentrischen Mutter, deren Eigenheiten schließlich in einem Testament gipfelten, das ihren Sohn von fast allen Einschränkungen befreite, die man einem sechzehnjährigen Knaben wohlweislich auferlegt.

Der Raum mit den Buntglasfenstern und der luxuriösen Einrichtung passte hervorragend zu dem exquisit ausstaffierten Mr. Telfer. Er war hochgewachsen und so entsetzlich dünn, dass sein unnatürlich kleiner Kopf auf den ersten Blick gar nicht auffiel. Als die junge Frau ins Zimmer trat, schnüffelte er gerade geziert in ein Taschentuch aus feinem Batist. Sie glaubte, ihn noch nie so blass gesehen zu haben – und noch nie so abstoßend.

He followed her movements with a dull stare, and she had placed his letters on his table before he spoke.

"I say. Miss Belman, you won't mention a word about what I said to you last night?"

"Mr. Telfer," she answered quietly, "I am hardly likely to discuss such a matter."

"I'd marry you and all that, only ... clause in my mother's will," he said disjointedly. "That could be got over – in time."

She stood by the table, her hands resting on the edge.

"I would not marry you, Mr. Telfer, even if there were no clause in your mother's will; the suggestion that I should run away with you to America – "

"South America," he corrected her gravely. "Not the United States; there was never any suggestion of the United States."

She could have smiled, for she was not as angry with this rather vacant young man as his startling proposition entitled her to be.

"The point is," he went on anxiously, "you'll keep it to yourself? I've been worried dreadfully all night. I told you to send me a note saying what you thought of my idea – well, don't!"

This time she did smile, but before she could answer him he went on, speaking rapidly in a high treble that sometimes rose to a falsetto squeak:

"You're a perfectly beautiful girl, and I'm crazy about you, but ... there's a tragedy in my life ... really. Perfectly ghastly tragedy. An' everything's at sixes an' sevens. If I'd had any sense I'd have brought in a feller to look after things. I'm beginning to see that now."

Mit dumpf starrendem Blick folgte er ihren Bewegungen. Erst als sie ihm seine Briefe auf den Tisch legte, begann er zu reden:

«Hören Sie, Miss Belman, Sie werden doch kein Wort über das verlieren, was ich gestern Abend zu Ihnen gesagt habe?»

«Mr. Telfer, es ist wohl eher unwahrscheinlich, dass ich über so etwas reden sollte», erwiderte sie ruhig.

«Ich würde Sie heiraten und alles, nur ... die Klausel im Testament meiner Mutter», stammelte er. «Das ließe sich in den Griff bekommen ... mit der Zeit.»

Sie stand an ihrem Schreibtisch und stützte die Hände auf der Tischkante ab.

«Ich würde Sie nicht heiraten, Mr. Telfer, selbst wenn es keine Klausel im Testament ihrer Mutter gäbe. Der Vorschlag, dass ich mit Ihnen nach Amerika gehen ...»

«Südamerika», korrigierte er sie ernst. «Nicht in die Vereinigten Staaten, von den Vereinigten Staaten war nie die Rede.»

Beinahe hätte sie gelächelt, denn sie war auf diesen geistig eher minderbemittelten jungen Mann nicht so wütend, wie sie es nach seinem verblüffenden Vorschlag hätte sein können.

«Es geht mir nur darum», fuhr er nervös fort, «dass Sie nichts weiter erzählen. Ich habe mir die ganze Nacht fürchterliche Sorgen gemacht. Ich hatte Sie gebeten, mir schriftlich mitzuteilen, was Sie von meiner Idee halten. Bitte, tun Sie's nicht!»

Diesmal lächelte sie, doch noch bevor sie antworten konnte, sprach er hastig und mit hoher Stimme, die manchmal in ein schrilles Fisteln überschlug, weiter.

«Sie sind ein wunderschönes Mädchen und ich bin verrückt nach Ihnen, aber ... in meinem Leben gibt es eine Tragödie ... Wirklich, eine absolut grauenvolle Tragödie. Und alles ist so fürchterlich vertrackt. Am vernünftigsten wäre es gewesen, wenn ich jemanden eingeschaltet hätte, der sich um alles kümmert. Allmählich begreife ich das.»

For the second time in twenty-four hours this young man, who had almost been tongue-tied and had never deigned to notice her, had poured forth a torrent of confidences, and in one had, with frantic insistence, set forth a plan which had amazed and shocked her. Abruptly he finished, wiped his weak eyes, and in his normal voice:

"Get Billingham on the 'phone; I want him."

She wondered, as her busy fingers flew over the keys of her typewriter, to what extent his agitation and wild eloquence was due to the rumoured "shakiness" of Telfers Consolidated.

Mr. Billingham came, a sober little man, bald and taciturn, and went in his secretive way into his employer's room. There was no hint in his appearance or his manner that he contemplated a great crime. He was stout to a point of podginess; apart from his habitual frown, his round face, unlined by the years, was marked by an expression of benevolence.

Yet Mr. Stephen Billingham, managing director of the Telfer Consolidated Trust, went into the office of the London and Central Bank late that afternoon and, presenting a bearer cheque for one hundred and fifty thousand pounds, which was duly honoured, was driven to the Credit Lilloise. He had telephoned particulars of his errand, and there were waiting for him seventeen packets, each containing a million francs, and a smaller packet of a hundred and forty-six mille notes. The franc stood at 74.55 and he received the eighteen packages in exchange for a cheque on the Credit Lilloise for £80,000 and the 150 thousand-pound notes which he had drawn on the London and Central.

Zum zweiten Mal innerhalb von vierundzwanzig Stunden hatte ihr dieser Mann, der zumeist sehr schweigsam war und ihr niemals Beachtung geschenkt hatte, sein Herz ausgeschüttet und ihr mit rasender Verzweiflung ein Vorhaben geschildert, das sie erstaunt und empört hatte. Plötzlich hielt er inne, rieb sich die schwachsichtigen Augen und sagte mit normaler Stimme:

«Bitte, rufen Sie Billingham an. Ich brauche ihn.»

Während ihre flinken Finger über die Tasten der Schreibmaschine flogen, überlegte sie, inwieweit Telfers Erregung und rasende Redseligkeit damit zusammenhängen mochten, dass es Telfers Consolidated angeblich «nicht gut ging».

Mr. Billingham, ein nüchterner und wortkarger kleiner Mann mit Glatze, traf ein und begab sich in seiner verschwiegenen Art ins Büro seines Arbeitgebers. Weder seine Erscheinung noch sein Auftreten legten nahe, dass er ein großes Verbrechen im Schilde führte. Er war kräftig, fast schon korpulent gebaut, und sein rundes, faltenfreies Gesicht hatte, sah man einmal von der meist kritisch gerunzelten Stirn ab, einen gütigen Ausdruck.

Doch Mr. Stephen Billingham, Hauptgeschäftsführer der Telfer Consolidated Trust, erschien am späteren Nachmittag in den Geschäftsräumen der Zentralbank von London, wo er einen Inhaberscheck über einhundertfünfzigtausend englische Pfund einreichte, der ordnungsgemäß eingelöst wurde. Bei der Credit Lilloise, wohin er als Nächstes gefahren wurde, hatte er die Einzelheiten seines Auftrags vorab telefonisch geklärt, weshalb dort bereits siebzehn Päckchen auf ihn warteten, von denen jedes eine Million Francs enthielt, und noch ein kleineres Päckchen mit einhundertsechsundvierzig Tausenderscheinen. Der Franc stand bei 74.55, und die achtzehn Päckchen erhielt er als Gegenwert für einen Scheck über achtzigtausend Pfund und die Hundertfünfzigtausend in Scheinen, die er in der Londoner Zentralbank abgehoben hatte.

Of Billingham's movements thenceforth little was known. He was seen by an acquaintance driving through Cheapside in a taxicab which was traced as far as Charing Cross – and there he disappeared. Neither the airways nor the waterways had known him, the police theory being that he had left by an evening train that had carried an excursion party via Havre to Paris.

"This is the biggest steal we have had in years," said the Assistant Director of Public Prosecutions. "If you can slip in sideways on the inquiry, Mr. Reeder, I should be glad. Don't step on the toes of the City police – they are quite amiable people where murder is concerned, but a little touchy where money is in question. Go along and see Sidney Telfer."

Fortunately, the prostrated Sidney was discoverable outside the City area. Mr. Reeder went into the outer office and saw a familiar face.

"Pardon me, I think I know you, young lady," he said, and she smiled as she opened the little wooden gate to admit him.

"You are Mr. Reeder – we live in the same road," she said, and then quickly: "Have you come about Mr. Billingham?"

"Yes." His voice was hushed, as though he were speaking of a dead friend. "I wanted to see Mr. Telfer, but perhaps you could give me a little information."

The only news she had was that Sidney Telfer had been in the office since seven o'clock and was at the moment in such a state of collapse that she had sent for the doctor.

"I doubt if he is in a condition to see you," she said.

Von Billinghams weiteren Manövern wusste man nur wenig. Ein Bekannter hatte ihn in einem Taxi durch Cheapside fahren sehen, die Spur ließ sich bis Charing Cross verfolgen – dort verschwand er. Da er weder bei den Flug- noch bei den Schifffahrtsgesellschaften aufgetaucht war, vertrat die Polizei die These, dass er mit einem Abendzug gefahren war, in dem eine Ausflugsgruppe über Havre nach Paris reiste.

«Wir haben es hier mit dem größten Diebstahl seit Jahren zu tun», sagte der stellvertretende Leiter der Anklagebehörde. «Es wäre mir recht, wenn Sie sich diskret in die Nachforschungen einschalten könnten, Mr. Reeder. Bitte treten Sie der städtischen Polizei nicht auf die Hühneraugen – bei Mordfällen sind sie recht zugänglich, doch wenn es um Geld geht, ein wenig empfindlich. Also, machen Sie einen Besuch bei Sidney Telfer.»

Der am Boden zerstörte Sidney hielt sich zum Glück außerhalb des Zuständigkeitsbereichs der städtischen Polizei auf. Als Mr. Reeder ins Vorzimmer seines Büros trat, sah er ein bekanntes Gesicht.

«Verzeihung, junge Dame, aber ich glaube, ich kenne Sie», sagte er. Sie öffnete lächelnd die kleine Holzpforte, um ihn einzulassen.

«Sie sind Mr. Reeder – wir wohnen in derselben Straße», sagte sie und fügte rasch hinzu: «Kommen Sie wegen Mr. Billingham?»

«Ja», sagte er mit belegter Stimme, als spräche er über einen verstorbenen Freund. «Ich wollte Mr. Telfer sprechen, aber vielleicht würden Sie mir ein paar Auskünfte geben.»

Sie konnte ihm nur sagen, dass Sidney Telfer seit sieben Uhr im Büro war und sich im Moment in einem derart aufgelösten Zustand befand, dass sie einen Arzt gerufen hatte.

«Ich glaube nicht, dass er in der Lage ist, mit Ihnen zu sprechen.»

"I will take all responsibility," said Mr. Reeder soothingly. "Is Mr. Telfer – er – a friend of yours. Miss – ?"

"Belman is my name." He had seen the quick flush that came to her cheek: it could mean one of two things. "No, I am an employee, that is all."

Her tone told him all he wanted to know. Mr. J. G. Reeder was something of an authority on office friendships.

"Bothered you a little, has he?" he murmured, and she shot a suspicious look at him. What did he know, and what bearing had Mr. Telfer's mad proposal on the present disaster? She was entirely in the dark as to the true state of affairs; it was, she felt, a moment for frankness.

"Wanted you to run away! Dear me!" Mr. Reeder was shocked. "He is married?"

"Oh, no – he's not married," said the girl shortly. "Poor man, I'm sorry for him now. I'm afraid that the loss is a very heavy one – who would suspect Mr. Billingham?"

"Ah! who indeed!" sighed the lugubrious Reeder, and took off his glasses to wipe them; almost she suspected tears. "I think I will go in now – that is the door?"

Sidney jerked up his face and glared at the intruder. He had been sitting with his head on his arms for the greater part of an hour.

"I say ... what do you want?" he asked feebly. "I say ... I can't see anybody ... Public Prosecutor's Department?" He almost screamed the words. "What's the use of prosecuting him if you don't get the money back?"

Mr. Reeder let him work down before he began to ply his very judicious questions.

«Ich übernehme die Verantwortung», sagte Mr. Reeder besänftigend. «Ist Mr. Telfer – ehem – ein Freund von Ihnen, Miss ...?»

«Belman ist mein Name.» Er hatte bemerkt, wie ihr die Röte in die Wangen schoss. Es konnte zweierlei bedeuten. «Nein, ich bin nur eine Angestellte, mehr nicht.»

Ihr Tonfall verriet ihm alles, was er wissen wollte. Bürofreundschaften waren ein Spezialgebiet von Mr. J. G. Reeder.

«Er hat Sie ein wenig belästigt, nicht wahr?», flüsterte er. Sie warf ihm einen misstrauischen Blick zu. Was wusste dieser Mann, und was hatte Mr. Telfers verrückter Vorschlag mit der gegenwärtigen Katastrophe zu tun? In dieser Sache tappte sie völlig im Dunkeln; sie spürte, dass Offenheit jetzt das Beste war.

«Er wollte mit Ihnen durchbrennen? Du meine Güte!» Mr. Reeder war schockiert. «Ist er verheiratet?»

«Oh, nein, verheiratet ist er nicht», sagte das Mädchen knapp. «Der arme Mann, jetzt tut er mir leid. Ich befürchte, dass der Schaden sehr groß ist. Wer hätte jemals Mr. Billingham verdächtigt?»

«Ja, wer hätte das!», seufzte ein trauriger Reeder und nahm seine Brille ab, um sie zu putzen. Sie rechnete fast mit Tränen. «Ich glaube, ich gehe jetzt hinein. Ist es diese Tür?»

Sidney schreckte auf und funkelte den Eindringling wütend an. Seit fast einer Stunde hatte er, den Kopf in den Armen vergraben, einfach dagesessen.

«Bitte, was wollen Sie?», hauchte er. «Hören Sie ... ich kann mit niemandem reden ... Staatsanwaltschaft?» Das letzte Wort hatte er fast geschrien. «Was hilft mir die strafrechtliche Verfolgung, wenn ich das Geld nicht wiederkriege?»

Mr. Reeder wartete, bis er sich beruhigt hatte, und setzte ihm dann mit seinen sehr wohlüberlegten Fragen zu.

"I don't know much about it," said the despondent young man. "I'm only a sort of figurehead. Billingham brought the cheques for me to sign and I signed 'em. I never gave him instructions; he got his orders. I don't know very much about it. He told me, actually told me, that the business was in a bad way – half a million or something was wanted by next week.... Oh, my God! And then he took the whole of our cash."

Sidney Telfer sobbed his woe into his sleeve like a child. Mr. Reeder waited before he asked a question in his gentlest manner.

"No, I wasn't here: I went down to Brighton for the week-end. And the police dug me out of bed at four in the morning. We're bankrupt. I'll have to sell my car and resign from my club – one has to resign when one is bankrupt."

There was little more to learn from the broken man, and Mr. Reeder returned to his chief with a report that added nothing to the sum of knowledge. In a week the theft of Mr. Billingham passed from scare lines to paragraphs in most of the papers – Billingham had made a perfect getaway.

In the bright lexicon of Mr. J. G. Reeder there was no such word as holiday. Even the Public Prosecutor's office has its slack time, when juniors and sub-officials and even the Director himself can go away on vacation, leaving the office open and a subordinate in charge. But to Mr. J. G. Reeder the very idea of wasting time was repugnant, and it was his practice to brighten the dull patches of occupation by finding a

«Ich weiß nicht viel über die Sache», sagte der verzweifelte junge Mann. «Ich bin nur eine Art Aushängeschild. Billingham hat mir die Schecks zum Unterschreiben gebracht, und ich habe meinen Namen darunter gesetzt. Ich habe ihm niemals Anweisungen gegeben; er hatte seine Instruktionen. Ich weiß nicht sehr viel über die Sache. Er sagte mir, sagte mir tatsächlich, dass es schlecht um unsere Firma stünde ... bis zur nächsten Woche müssten wir eine halbe Million oder so aufbringen ... Oh, mein Gott! Und dann hat er unser ganzes Barvermögen genommen.»

Sidney Telfer schluchzte seinen Schmerz wie ein Kind in den Jackenärmel. Mr. Reeder wartete einen Moment, bevor er in seiner sanftesten Art eine Frage stellte.

«Nein, ich war nicht da. Ich bin übers Wochenende nach Brighton gefahren. Die Polizei hat mich um vier Uhr morgens aus dem Bett geholt. Wir sind bankrott. Ich werde mein Auto verkaufen und meine Clubmitgliedschaft abgeben müssen. Wenn man bankrott ist, muss man nämlich austreten.»

Von dem gebrochenen Mann war kaum mehr zu erfahren, so dass der Bericht, den Mr. Reeder später im Büro seinem Vorgesetzten erstattete, nichts Neues enthielt. In den meisten Zeitungen war der Diebstahl von Mr. Billingham innerhalb einer Woche aus den Schlagzeilen verschwunden und nur noch kurze Meldungen wert – Billinghams Flucht war perfekt gelungen.

Im breiten Wortschatz von Mr. Reeder fehlte ein Wort wie Ferien. Selbst in der Staatsanwaltschaft gibt es ruhige Zeiten, in denen Anwaltspraktikanten, Anwälte und selbst der Leitende Oberstaatsanwalt Urlaub nehmen können, während die Behörde unter der Leitung eines untergeordneten Beamten geöffnet bleibt. Doch allein die Vorstellung, Zeit zu vergeuden, war Mr. Reeder zuwider, weshalb er sich ereignislose Arbeitsphasen damit vertrieb, ins Polizeigericht zu kommen, und selbst noch bei den

seat in a magistrate's court and listening, absorbed, to cases which bored even the court reporter.

John Smith, charged with being drunk and using insulting language to Police Officer Thomas Brown; Mary Jane Haggitt, charged with obstructing the police in the execution of their duty; Henry Robinson, arraigned for being a suspected person, having in his possession housebreaking tools, to wit, one cold chisel and a screwdriver; Arthur Moses, charged with driving a motor-car to the common danger – all these were fascinating figures of romance and legend to the lean man who sat between the press and railed dock, his square-crowned hat by his side, his umbrella gripped between his knees, and on his melancholy face an expression of startled wonder.

On one raw and foggy morning, Mr. Reeder, self-released from his duties, chose the Marylebone Police Court for his recreation. Two drunks, a shop theft and an embezzlement had claimed his rapt attention, when Mrs. Jackson was escorted to the dock and a rubicund policeman stepped to the witness stand, and, swearing by his Deity that he would tell the truth and nothing but the truth, related his peculiar story.

"P.C. Ferryman No. 9717 L. Division," he introduced himself conventionally. "I was on duty in the Edgware Road early this morning at 2.30 a.m. when I saw the prisoner carrying a large suit-case. On seeing me she turned round and walked rapidly in the opposite direction. Her movements being suspicious, I followed and, overtaking her, asked her whose property she was carrying. She told me it was her own and that she was going to catch a train. She said that the case contained her clothes.

Fällen gefesselt zuhörte, die sogar den Gerichtsreporter langweilten.

John Smith war angeklagt, in betrunkenem Zustand den Polizeibeamten Thomas Brown beleidigt zu haben; Mary Jane Haggitt hatte die Polizei an der Ausübung ihrer Pflicht gehindert; Henry Robinson war als verdächtige Person festgenommen worden, da sich in seinem Besitz Einbruchswerkzeuge, nämlich ein Kaltmeißel und ein Schraubenzieher, befunden hatten; Arthur Moses wurde vorgeworfen, hinterm Steuer seines Autos die Allgemeinheit gefährdet zu haben: Für den hageren Mann mit dem staunend-überraschten Ausdruck im traurigen Gesicht, der, den quadratischen Hut neben sich und den Regenschirm zwischen die Knie geklemmt, zwischen dem Pressebereich und dem Geländer der Anklagebank saß, waren sie allesamt so faszinierend, als wären sie einem Roman oder einer Legende entsprungen.

An einem nasskalten Nebelmorgen suchte Mr. Reeder, der sich selbst von seinen Pflichten entbunden hatte, zu seiner Erbauung das Polizeigericht von Marylebone auf. Zwei Betrunkene, ein Ladendiebstahl und eine Unterschlagung hatten ihn völlig in Bann gezogen, als Mrs. Jackson zur Anklagebank geführt wurde. Ein Polizist mit rosigen Backen trat in den Zeugenstand, schwor bei seinem Gott, dass er die Wahrheit und nichts als die Wahrheit sagen würde, und erzählte eine merkwürdige Geschichte.

«Polizeiwachtmeister Ferryman, Nr. 9717, Abteilung L.», stellte er sich in aller Form vor. «Heute früh um 2.30 Uhr war ich auf Streife in der Edgware Road, als ich die Angeklagte mit einem großen Koffer in der Hand erblickte. Als sie mich bemerkte, machte sie auf der Stelle kehrt und entfernte sich schnell in die entgegengesetzte Richtung. Das kam mir verdächtig vor. Ich folgte ihr, und als ich sie eingeholt hatte, habe ich sie gefragt, wem der Koffer, den sie trug, gehöre. Sie behauptete, es sei ihr eigener und sie müsse noch einen Zug erreichen. In dem Koffer befänden

As the case was a valuable one of crocodile leather I asked her to show me the inside. She refused. She also refused to give me her name and address and I asked her to accompany me to the station."

There followed a detective sergeant.

"I saw the prisoner at the station and in her presence opened the case. It contained a considerable quantity of small stone chips – "

"Stone chips?" interrupted the incredulous magistrate. "You mean small pieces of stone – what kind of stone?"

"Marble, your worship. She said that she wanted to make a little path in her garden and that she had taken them from the yard of a monumental mason in the Euston Road. She made a frank statement to the effect that she had broken open a gate into the yard and filled the suit-case without the mason's knowledge."

The magistrate leant back in his chair and scrutinised the charge sheet with a frown.

"There is no address against her name," he said.

"She gave an address, but it was false, your worship – she refuses to offer any further information."

Mr. J. G. Reeder had screwed round in his seat and was staring open-mouthed at the prisoner. She was tall, broad-shouldered and stoutly built. The hand that rested on the rail of the dock was twice the size of any woman's hand he had ever seen. The face was modelled largely, but though there was something in her appearance which was almost repellent, she was handsome in her large way. Deep-set brown eyes, a nose that was large and masterful, a well-shaped mouth and two chins – these in profile were not attractive to one who

sich ihre Kleider. Da der Koffer ein teurer aus Krokodil-
leder war, bat ich sie, ihn zu öffnen. Sie weigerte sich.
Da sie sich ebenfalls weigerte, mir Namen und Adresse
zu nennen, forderte ich sie auf, zur Polizeiwache mit-
zukommen.»

Als Nächstes sagte ein Kriminalbeamter aus.

«Ich habe die Angeklagte im Polizeirevier aufgesucht
und in ihrer Gegenwart den Koffer geöffnet. Er enthielt
eine beträchtliche Menge kleiner Steinsplitter ...»

«Steinsplitter?», unterbrach ihn der Richter ungläubig. «Sie meinen wirklich kleine Steinstücke – welche
Sorte Stein?»

«Marmor, Euer Ehren. Sie sagte, sie wolle einen kleinen Pfad in ihrem Garten anlegen und habe die Steine
aus dem Hof eines Steinmetzen in der Euston Road mit-
genommen. Sie gab offen zu, ein Hoftor aufgebrochen
und ohne Wissen des Künstlers ihren Koffer gefüllt
zu haben.»

Der Richter lehnte sich in seinem Stuhl zurück und
studierte mit gerunzelter Stirn das Aktenblatt.

«Es steht keine Adresse bei ihrem Namen», sagte er.

«Die von ihr angegebene Adresse war falsch, Euer
Ehren. Sie weigert sich, mehr zu sagen.»

Mr. J. G. Reeder hatte sich auf seinem Stuhl umge-
dreht und starrte die Angeklagte mit offenem Mund
an. Sie war groß, von kräftiger Statur und hatte breite
Schultern. Die Hand, die auf der Brüstung der Anklagebank ruhte, war doppelt so groß wie jede Frauenhand,
die er kannte. Sie hatte markante Gesichtszüge und sah,
obwohl etwas an ihrem Auftreten regelrecht abstoßend
wirkte, auf ihre stattliche Art gut aus. Tiefliegende braune Augen, eine große majestätische Nase, ein schön ge-
schwungener Mund und ein Doppelkinn, das, im Profil
betrachtet, für jemanden mit eigenen Ansichten über

had his views on beauty in women, but Mr. J. G. Reeder, being a fair man, admitted that she was a fine-looking woman. When she spoke it was in a voice as deep as a man's, sonorous and powerful.

"I admit it was a fool thing to do. But the idea occurred to me just as I was going to bed and I acted on the impulse of the moment. I could well afford to buy the stone – I had over fifty pounds in my pocket-book when I was arrested."

"Is that true?" and, when the officer answered, the magistrate turned his suspicious eyes to the woman. "You are giving us a lot of trouble because you will not tell your name and address. I can understand that you do not wish your friends to know of your stupid theft, but unless you give me the information, I shall be compelled to remand you in custody for a week."

She was well, if plainly, dressed. On one large finger flashed a diamond which Mr. Reeder mentally priced in the region of two hundred pounds. "Mrs. Jackson" was shaking her head as he looked.

"I can't give you my address," she said, and the magistrate nodded curtly.

"Remanded for inquiry," he said, and added, as she walked out of the dock: "I should like a report from the prison doctor on the state of her mind."

Mr. J. G. Reeder rose quickly from his chair and followed the woman and the officer in charge of the case through the little door that leads to the cells.

"Mrs. Jackson" had disappeared by the time he reached the corridor, but the detective-sergeant was stooping over the large and handsome suitcase that he had shown in court and was now laying on a form.

Most of the outdoor men of the C.I.D. knew Mr.

weibliche Schönheit wenig attraktiv war. Doch war Mr. Reeder fair genug zuzugeben, dass es sich um eine ansehnliche Frau handelte. Als sie zu sprechen begann, klang ihre Stimme tief, kräftig und sonor wie die eines Mannes.

«Ich gebe zu, dass es dumm von mir war. Aber die Idee kam mir, als ich zu Bett gehen wollte, und ich habe sie ganz spontan in die Tat umgesetzt. Ich hätte mir durchaus leisten können, die Steine zu kaufen. Als man mich festnahm, hatte ich über fünfzig Pfund im Portemonnaie.»

«Stimmt das?» Als der Polizeiwachtmeister bejahte, blickte der Richter die Frau misstrauisch an. «Sie machen uns große Schwierigkeiten, weil Sie uns Ihren Namen und Ihre Adresse nicht nennen wollen. Ich kann verstehen, dass Ihre Bekannten nichts von diesem dummen Diebstahl erfahren sollen, aber wenn Sie mir die gewünschten Informationen nicht geben, bleibt mir nichts anderes, als Sie für eine Woche in die Untersuchungshaft zurückzuschicken.»

Sie war gut, aber schlicht gekleidet. An einem der großen Finger funkelte ein Diamant, dessen Wert Mr. Reeder bei sich auf etwa zweihundert Pfund veranschlagte. Als er sie anschaute, schüttelte «Mrs. Jackson» gerade den Kopf.

«Ich kann Ihnen meine Adresse nicht nennen», sagte sie, worauf der Richter knapp nickte.

«Sie bleibt bis auf weiteres in Untersuchungshaft», sagte er daraufhin. «Ich möchte vom Gefängnisarzt einen Bericht über ihren geistigen Zustand», fügte er hinzu, als die Frau die Anklagebank verließ.

Mr. J. G. Reeder erhob sich schnell von seinem Platz und folgte ihr und dem verantwortlichen Kriminalbeamten durch die kleine Tür, die zu den Zellen führte.

Als er in den Flur trat, war «Mrs. Jackson» bereits verschwunden, doch der Kriminalbeamte beugte sich gerade über den schönen großen Koffer, den er im Gerichtssaal präsentiert hatte, und legte ein Formular an.

Die meisten Außendienstler der Kriminalpolizei kannten

J. G. Reeder, and Sergeant Mills grinned a cheerful welcome.

"What do you think of that one, Mr. Reeder? It is certainly a new line on me! Never heard of a tombstone artist being burgled before."

He opened the top of the case, and Mr. Reeder ran his fingers through the marble chips.

"The case and the loot weighs over a hundred pounds," said the officer. "She must have the strength of a navvy to carry it. The poor officer who carried it to the station was hot and melting when he arrived."

Mr. J. G. was inspecting the case. It was a handsome article, the hinges and locks being of oxidised silver. No maker's name was visible on the inside, or owner's initials on its glossy lid. The lining had once been of silk, but now hung in shreds and was white with marble dust.

"Yes," said Mr. Reeder absently, "very interesting – most interesting. Is it permissible to ask whether, when she was searched, any – er – document – ?" The sergeant shook his head. "Or unusual possession?"

"Only these."

By the side of the case was a pair of large gloves. These also were soiled, and their surfaces cut in a hundred places.

"These have been used frequently for the same purpose," murmured Mr. J. G. "She evidently makes – er – a collection of marble shavings. Nothing in her pocket-book?"

"Only the bank-notes: they have the stamp of the Central Bank on their backs. We should be able to trace 'em easily."

Mr. Reeder returned to his office and, locking the door, produced a worn pack of cards from a drawer

Mr. J. G. Reeder, und Sergeant Mills begrüßte ihn mit einem freundlich-verschmitzten Lächeln.

«Was halten Sie von dieser Geschichte, Mr. Reeder? Für mich ist das wirklich Neuland! Ich habe noch nie zuvor von einem Einbruch bei einem Grabsteinkünstler gehört.»

Er öffnete den Kofferdeckel, und Mr. Reeder ließ die Marmorsplitter durch seine Finger gleiten.

«Koffer und Diebesgut wiegen zusammen über einhundert Pfund», sagte der Kriminalbeamte. «Sie muss stark wie ein Bauarbeiter sein, um ihn tragen zu können. Der arme Polizist, der ihn zum Polizeirevier schleppte, hat bei seiner Ankunft geschwitzt wie ein Bär.»

Mr. J. G. sah sich den Koffer genauer an. Es war ein gutes Stück, mit Scharnieren und Schlössern aus oxidiertem Silber. Er fand keine Herstellermarke im Inneren und auch nicht die Initialen eines Besitzers auf dem glänzenden Deckel. Das Futter war aus Seide, doch es hing in Fetzen und war weiß vom Marmorstaub.

«Ja», sagte Mr. Reeder geistesabwesend, «sehr interessant, wirklich sehr interessant. Darf ich fragen, ob bei der Durchsuchung der Frau irgendwelche – ehem – Papiere …?» Der Sergeant schüttelte den Kopf. «Oder ungewöhnliche Dinge?»

«Nur die hier.»

Neben dem Koffer lag ein Paar großer Handschuhe. Sie waren ebenfalls schmutzig und das Leder überall eingerissen.

«Sie sind oft für denselben Zweck benutzt worden», murmelte Mr. J. G. «Anscheinend hat sie eine – ehem – ganze Sammlung von Marmorstückchen angelegt. Auch nichts in ihrem Portemonnaie?»

«Nur die Geldscheine: Auf der Rückseite haben sie einen Stempel der Zentralbank. Es sollte kein Problem sein, ihren Ursprung zurückzuverfolgen.»

Mr. Reeder kehrte in sein Büro zurück, machte die Tür hinter sich zu und zog ein abgestoßenes Kartenspiel aus

and played patience – which was his method of thinking intensively. Late in the afternoon his te-lephone bell rang, and he recognised the voice of Sergeant Mills.

"Can I come along and see you? Yes, it is about the bank-notes."

Ten minutes later the sergeant presented him-self.

"The notes were issued three months ago to Mr. Telfer," said the officer without preliminary, "and they were given by him to his housekeeper, Mrs. Welford."

"Oh, indeed?" said Mr. Reeder softly, and added, after reflection: "Dear me!"

He pulled hard at his lip.

"And is 'Mrs. Jackson' that lady?" he asked.

"Yes. Telfer – poor little devil – nearly went mad when I told him she was under remand – dashed up to Holloway in a taxi to identify her. The mag-istrate has granted bail, and she'll be bound over to-morrow. Telfer was bleating like a child – said she was mad. Gosh! that fellow is scared of her – when I took him into the waiting-room at Hol-loway Prison she gave him one look and he wilted. By the way, we have had a hint about Billingham that may interest you. Do you know that he and Telfer's secretary were very good friends?"

"Really?" Mr. Reeder was indeed interested. "Very good friends? Well, well!"

"The Yard has put Miss Belman under general observation: there may be nothing to it, but in cases like Billingham's it is very often a matter of cherchez la femme."

Mr. Reeder had given his lip a rest and was now gently massaging his nose.

der Schublade, um eine Patience zu legen – seine Art, konzentriert nachzudenken. Spät am Nachmittag klingelte das Telefon. Er erkannte die Stimme von Sergeant Mills.

«Kann ich vorbeikommen und mit Ihnen sprechen? Ja, es geht um die Geldscheine.»

Zehn Minuten später stand der Sergeant vor ihm.

«Die Scheine wurden vor drei Monaten an Mr. Telfer ausgezahlt», sagte der Kriminalbeamte ohne lange Vorrede. «Und der hat sie an seine Haushälterin Mrs. Welford weitergegeben.»

«Ach, tatsächlich?», sagte Mr. Reeder leise. «Meine Güte!», fügte er nach kurzem Überlegen hinzu.

Er zog heftig an seiner Unterlippe.

«Und handelt es sich bei ‹Mrs. Jackson› um die betreffende Dame?», fragte er.

«Ja. Telfer, dieser arme Schlucker, ist fast ausgerastet, als ich ihm erzählte, dass sie in Untersuchungshaft sitzt. Er ist sofort in einem Taxi nach Holloway gerast, um sie zu identifizieren. Der Richter hat einer Kaution zugestimmt, morgen wird sie auf Bewährung entlassen. Telfer hat geplärrt wie ein Kind und behauptet, sie sei verrückt. Mein lieber Mann, hat der Bursche Angst vor ihr! Als ich ihn ins Wartezimmer des Gefängnisses von Holloway führte, ist er schon beim ersten Blick von ihr eingeknickt. Ach übrigens, wir haben einen Hinweis auf Billingham, der Sie interessieren dürfte. Wissen Sie, dass er eng mit Telfers Sekretärin befreundet ist?»

«Wirklich?» Das interessierte Mr. Reeder allerdings. «Eng befreundet? So, so!»

«Scotland Yard hat Miss Belman unter Beobachtung gestellt. Kann sein, dass nichts an der Sache dran ist, aber in Fällen wie dem von Billingham steckt oft eine Frau dahinter: Cherchez la femme.»

Mr. Reeder ließ seine Lippe in Ruhe und rieb sich stattdessen sacht die Nase.

"Dear me!" he said. "That is a French expression, is it not?"

He was not in court when the marble stealer was sternly admonished by the magistrate and discharged. All that interested Mr. J. G. Reeder was to learn that the woman had paid the mason and had carried away her marble chips in triumph to the pretty little detached residence in the Outer Circle of Regent's Park. He had spent the morning at Somerset House, examining copies of wills and the like; his afternoon he gave up to the tracing of Mrs. Rebecca Alamby Mary Welford.

She was the relict of Professor John Welford of the University of Edinburgh, and had been left a widow after two years of marriage. She had then entered the service of Mrs. Telfer, the mother of Sidney, and had sole charge of the boy from his fourth year. When Mrs. Telfer died she had made the woman sole guardian of her youthful charge. So that Rebecca Welford had been by turns nurse and guardian, and was now in control of the young man's establishment.

The house occupied Mr. Reeder's attention to a considerable degree. It was a red-brick modern dwelling consisting of two floors and having a frontage on the Circle and a side road. Behind and beside the house was a large garden which, at this season of the year, was bare of flowers. They were probably in snug quarters for the winter, for there was a long green-house behind the garden.

He was leaning over the wooden palings, eyeing the grounds through the screen of box hedge that overlapped the fence with a melancholy stare, when he saw a door open and the big woman come out. She was bare-armed and wore an apron. In

«Ach, je!», sagte er. «Das ist ein französischer Ausdruck, oder?»

Als die Marmordiebin unter strengen Ermahnungen vom Richter entlassen wurde, war Mr. J. G. Reeder nicht im Gerichtssaal. Ihn interessierte nur, dass die Frau den Steinmetz bezahlt hatte und triumphierend mit ihren Marmorsplittern von dannen gezogen war, zurück in das hübsche Häuschen im Outer Circle am Regent's Park. Den Vormittag hatte er in Somerset House verbracht, wo er die Kopien von Testamenten und ähnlichen Dokumenten studierte; am Nachmittag zog er Erkundigungen über Mrs. Rebecca Alamby Mary Welford ein.

Sie war die Witwe John Welfords, eines Professors der Universität von Edinburgh, der bereits zwei Jahre nach ihrer Heirat verstorben war. Daraufhin trat sie in die Dienste von Mrs. Telfer, Sidneys Mutter, und hatte seit dem vierten Lebensjahr des Jungen die alleinige Aufsicht über ihn. Bei ihrem Tod bestimmte Mrs. Telfer die Frau zum einzigen Vormund ihres jugendlichen Schutzbefohlenen. Rebecca Welford war somit erst Kinderfrau und dann Vormund gewesen und herrschte jetzt über das Unternehmen des jungen Mannes.

Insbesondere das Wohnhaus weckte Mr. Reeders Interesse. Es handelte sich um ein modernes zweistöckiges Gebäude aus rotem Backstein, dessen Front auf den Outer Circle und eine Nebenstraße schaute. Hinter und neben dem Haus lag ein großer Garten, in dem zu dieser Jahreszeit keine Blumen blühten. Wahrscheinlich hatten sie ein warmes Winterquartier bezogen, denn auf der anderen Seite des Gartens befand sich ein langgestrecktes Gewächshaus.

Er beugte sich gerade mit melancholischem Blick über den Lattenzaun und starrte durch den Sichtschutz der bis über den Zaun wuchernden Buchsbaumhecke auf das Grundstück, als sich eine Tür öffnete und die große Frau heraustrat. Ihre Arme waren nackt und sie hatte eine

one hand she carried a dust box, which she emp-
tied into a concealed ash-bin, in the other was a
long broom.

Mr. Reeder moved swiftly out of sight. Presently the door slammed and he peeped again. There
was no evidence of a marble path. All the walks
were of rolled gravel.

He went to a neighbouring telephone booth,
and called his office.

"I may be away all day," he said.

There was no sign of Mr. Sidney Telfer, though
the detective knew that he was in the house.

Telfer's Trust was in the hands of the liquidators, and the first meeting of creditors had been
called. Sidney had, by all accounts, been con-
fined to his bed, and from that safe refuge had
written a note to his secretary asking that "all
papers relating to my private affairs" should be
burnt. He had scrawled a postscript: "Can I
possibly see you on business before I go?" The
word "go" had been scratched out and "retire"
substituted. Mr. Reeder had seen that letter –
indeed, all correspondence between Sidney and
the office came to him by arrangement with
the liquidators. And that was partly why Mr.
J. G. Reeder was so interested in 904, The
Circle.

It was dusk when a big car drew up at the gate
of the house. Before the driver could descend from
his seat, the door of 904 opened, and Sidney Telfer almost ran out. He carried a suit-case in each
hand, and Mr. Reeder recognised that nearest
him as the grip in which the housekeeper had
carried the stolen marble.

Reaching over, the chauffeur opened the door

Schürze umgebunden. In der einen Hand trug sie einen
Abfalleimer, den sie in eine verdeckte Mülltonne leerte,
in der anderen einen langen Besen.

Schnell ging Mr. Reeder in Deckung. Im nächsten Moment knallte die Tür zu und er lugte wieder hervor. Von
einem Marmorpfad fehlte jede Spur. Alle Wege waren
aus gewalztem Kies.

Er ging in eine Telefonzelle in der Nähe und rief im
Büro an.

«Ich bin vielleicht den ganzen Tag weg», sagte er.

Mr. Sidney Telfer bekam der Detektiv nicht zu sehen,
obwohl er wusste, dass er sich im Haus aufhielt.

Telfer's Trust befand sich in den Händen der Insolvenz-
verwalter, die eine erste Gläubigerversammlung einberu-
fen hatten. Sidney musste, wie zu hören war, das Bett
hüten und hatte von diesem sicheren Zufluchtsort aus
eine Nachricht an seine Sekretärin geschrieben, in der
er sie anwies, «alle Papiere, die Privatangelegenheiten
betreffen», zu verbrennen. Er hatte noch ein Postskriptum
gekritzelt: «Kann ich Sie geschäftlich sprechen, bevor ich
gehe?» Das Wort «gehe» war durchgestrichen und durch
«mich zurückziehe» ersetzt worden. Mr. Reeder kannte
nicht nur diesen Brief; nach Absprache mit den Insolven-
zverwaltern war ihm Einsicht in die gesamte Korrespondenz zwischen Sidney und dem Büro gewährt worden.
Das war einer der Gründe, weshalb er sich so sehr für
das Haus The Circle, Nummer 904 interessierte.

Es dämmerte bereits, als ein großes Auto am Tor zum
Vorgarten hielt. Noch bevor der Fahrer aussteigen konnte,
ging die Tür von Nummer 904 auf und Sidney Telfer stürz-
te heraus. Er trug in jeder Hand einen Koffer, und Mr.
Reeder erkannte in dem ihm zugekehrten das Exemplar,
in dem die Haushälterin den gestohlenen Marmor
transportiert hatte.

Der Chauffeur beugte sich herüber und öffnete die Tür

of the machine and, flinging in the bags, Sidney followed hastily. The door closed, and the car went out of sight round the curve of the Circle.

Mr. Reeder crossed the road and took up a position very near the front gate, waiting.

Dusk came and the veil of a Regent's Park fog. The house was in darkness, no flash of light except a faint glimmer that burnt in the hall, no sound. The woman was still there – Mrs. Sidney Telfer, nurse, companion, guardian and wife. Mrs. Sidney Telfer, the hidden director of Telfers Consolidated, a masterful woman who, not content with marrying a weakling twenty years her junior, had applied her masterful but ill-equipped mind to the domination of a business she did not understand, and which she was destined to plunge into ruin. Mr. Reeder had made good use of his time at the Records Office: a copy of the marriage certificate was almost as easy to secure as a copy of the will.

He glanced round anxiously. The fog was clearing, which was exactly what he did not wish it to do, for he had certain acts to perform which required as thick a cloaking as possible.

And then a surprising thing happened. A cab came slowly along the road and stopped at the gate.

"I think this is the place, miss," said the cabman, and a girl stepped down to the pavement.

It was Miss Margaret Belman.

Reeder waited until she had paid the fare and the cab had gone, and then, as she walked towards the gate, he stepped from the shadow.

"Oh! – Mr. Reeder, how you frightened me!" she gasped. "I am going to see Mr. Telfer – he is

des Wagens. Sidney warf sein Gepäck hinein und folgte hastig selbst. Die Tür schlug zu, und das Auto verschwand hinter der Biegung des Circle.

Mr. Reeder überquerte die Straße, bezog ganz in der Nähe des Vorgartentors Position und wartete.

Es wurde Nacht, und vom Regent's Park her zogen Nebelschleier auf. Das Haus lag in Dunkelheit; bis auf einen schwachen Schimmer in der Eingangshalle war kein Licht zu sehen und kein Geräusch zu hören. Die Frau weilte noch immer im Haus – Mrs. Sidney Telfer, Kinderfrau, Gefährtin, Vormund und Ehefrau. Mrs. Sidney Telfer, die heimliche Chefin von Telfers Consolidated, eine tyrannische Frau, die sich nicht damit zufrieden gegeben hatte, einen zwanzig Jahre jüngeren Schwächling zu heiraten, sondern in ihrer herrschsüchtigen, aber unfähigen Art auch noch über Geschäfte bestimmen wollte, von denen sie keine Ahnung hatte. Sie konnte die Firma nur in den Ruin treiben. Mr. Reeder hatte seine Zeit im Archiv gut genutzt: die Heiratsurkunde war genauso leicht zu beschaffen gewesen wie eine Kopie des Testaments.

Nervös blickte er sich um. Der Nebel lichtete sich, was ihm überhaupt nicht gelegen kam, da er gewisse Dinge tun musste, die besser unter einem möglichst dichten Schleier geschahen.

Und dann passierte etwas Überraschendes. Ein Taxi kam langsam die Straße entlanggefahren und hielt vor dem Tor.

« Ich glaube, hier ist es, Miss », sagte der Taxifahrer, und eine junge Frau stieg aus.

Es war Miss Margaret Belman.

Reeder wartete, bis sie gezahlt hatte und das Taxi verschwunden war. Als sie dann auf das Tor zuging, trat er aus dem Schatten.

« Oh! Mr. Reeder, was haben Sie mich erschreckt! », keuchte sie. « Ich will zu Mr. Telfer – er ist sehr krank …

dangerously ill – no, it was his housekeeper who wrote asking me to come at seven."

"Did she now! Well, I will ring the bell for you."

She told him that that was unnecessary – she had the key which had come with the note.

"She is alone in the house with Mr. Telfer, who refuses to allow a trained nurse near him," said Margaret, "and – "

"Will you be good enough to lower your voice, young lady?" urged Mr. Reeder in an impressive whisper. "Forgive the impertinence, but if our friend is ill – "

She was at first startled by his urgency.

"He couldn't hear me," she said, but spoke in a lower tone.

"He may – sick people are very sensitive to the human voice. Tell me, how did this letter come?"

"From Mr. Telfer? By district messenger an hour ago."

Nobody had been to the house or left it – except Sidney. And Sidney, in his blind fear, would carry out any instructions which his wife gave to him.

"And did it contain a passage like this?" Mr. Reeder considered a moment. "'Bring this letter with you'?"

"No," said the girl in surprise, "but Mrs. Welford telephoned just before the letter arrived and told me to wait for it. And she asked me to bring the letter with me because she didn't wish Mr. Telfer's private correspondence to be left lying around. But why do you ask me this, Mr. Reeder – is anything wrong?"

He did not answer immediately. Pushing open

Nein, es war seine Haushälterin. Sie hat mir geschrieben und mich gebeten, um sieben zu kommen.»

«So, hat sie das! Na gut, ich werde für Sie läuten.»

Sie sagte ihm, das sei nicht nötig, da sie zusammen mit der Nachricht einen Schlüssel erhalten habe.

«Sie ist mit Mr. Telfer allein im Haus, er weigert sich, eine Krankenschwester in seine Nähe zu lassen», sagte Margaret. «Und ...»

«Wären Sie bitte so gut, etwas leiser zu sprechen, meine junge Dame?», flüsterte Mr. Reeder mit Nachdruck. «Verzeihen Sie meine Unverschämtheit, doch wenn unser Freund krank ist ...»

Im ersten Moment überraschte sie seine Eindringlichkeit.

«Er könnte mich gar nicht hören», sagte sie, doch sie sprach leiser.

«Vielleicht doch. Kranke reagieren sehr empfindlich auf die menschliche Stimme. Sagen Sie bitte, wie ist der Brief gekommen?»

«Der von Mr. Telfer? Über einen Bezirksboten, vor einer Stunde.»

Außer Sidney war niemand ins Haus gegangen und niemand hatte es verlassen. Und Sidney würde in seiner blinden Angst jeden Befehl ausführen, den seine Frau ihm gab.

«Hat der Brief einen Satz wie diesen enthalten?» Mr. Reeder überlegte einen Augenblick. «‹Bringen Sie den Brief mit.›»

«Nein», sagte das Mädchen überrascht, «aber Mrs. Welford hat kurz vor Ankunft des Briefes angerufen und mich aufgefordert, ihn abzuwarten. Und sie hat mich gebeten, den Brief mitzubringen, weil sie nicht wollte, dass die private Korrespondenz von Mr. Telfer offen herumliegt. Aber warum fragen Sie mich das, Mr. Reeder? Stimmt etwas nicht?»

Er antwortete nicht sofort, sondern schob das Gartentor

the gate, he walked noiselessly along the grass plot that ran parallel with the path.

"Open the door, I will come in with you," he whispered and, when she hesitated: "Do as I tell you, please."

The hand that put the key into the lock trembled, but at last the key turned and the door swung open. A small night-light burnt on the table of the wide panelled hall. On the left, near the foot of the stairs, only the lower steps of which were visible, Reeder saw a narrow door which stood open, and, taking a step forward, saw that it was a tiny telephone-room.

And then a voice spoke from the upper landing, a deep, booming voice that he knew.

"Is that Miss Belman?"

Margaret, her heart beating faster, went to the foot of the stairs and looked up.

"Yes, Mrs. Welford."

"You brought the letter with you?"

"Yes."

Mr. Reeder crept along the wall until he could have touched the girl.

"Good," said the deep voice. "Will you call the doctor – Circle 743 – and tell him that Mr. Telfer has had a relapse – you will find the booth in the hall: shut the door behind you, the bell worries him."

Margaret looked at the detective and he nodded.

The woman upstairs wished to gain time for something – what?

The girl passed him: he heard the thud of the padded door close, and there was a click that made him spin round. The first thing he noticed was that there was no handle to the door, the second that

auf. Ohne ein Geräusch zu verursachen, ging er neben dem Pfad auf dem Rasen.

«Schließen Sie auf, ich komme mit Ihnen herein», flüsterte er. «Bitte tun Sie, was ich Ihnen sage», fügte er hinzu, als sie zögerte.

Die Hand, die den Schlüssel ins Schloss steckte, zitterte, doch endlich drehte der Schlüssel sich und die Tür sprang auf. Auf einem Tisch in der weitläufigen getäfelten Eingangshalle brannte ein kleines Nachtlicht. Linkerhand in der Nähe der Treppe, von der nur die untersten Stufen zu erkennen waren, sah Reeder eine schmale Tür offen stehen. Als er einen Schritt vortrat, erkannte er, dass sich dahinter ein winziges Telefonzimmer befand.

Und dann hörte er eine Stimme aus dem oberen Flur, eine tiefe, dröhnende Stimme, die ihm bekannt war.

«Sind Sie das, Miss Belman?»

Mit klopfendem Herzen ging Margaret zur Treppe und schaute nach oben.

«Ja, Mrs. Welford.»

»Haben Sie den Brief dabei?»

«Ja.»

Mr. Reeder schlich an der Wand entlang, bis er noch eine Armeslänge von der jungen Frau entfernt war.

«Gut», sagte die tiefe Stimme. «Würden Sie bitte den Arzt anrufen – Circle 743 – und ihm sagen, dass Mr. Telfer einen Rückfall erlitten hat. Sie finden die Telefonkabine unten in der Halle. Machen Sie die Tür hinter sich zu, das Läuten stört ihn.»

Margaret schaute den Detektiv an, der nickte.

Die Frau oben schien für irgendetwas Zeit zu benötigen, bloß wozu?

Die junge Frau ging an ihm vorbei. Er hörte, wie die gepolsterte Tür ins Schloss fiel, dann ein Klicken, das ihn herumfahren ließ. Als Erstes fiel ihm auf, dass es an der Tür keine Klinke gab, als Zweites, dass eine Metallscheibe,

the keyhole was covered by a steel disc, which he discovered later was felt-lined. He heard the girl speaking faintly, and put his ear to the keyhole.

"The instrument is disconnected – I can't open the door."

Without a second's hesitation, he flew up the stairs, umbrella in hand, and as he reached the landing he heard a door close with a crash. Instantly he located the sound. It came from a room on the left immediately over the hall. The door was locked.

"Open this door," he commanded, and there came to him the sound of a deep laugh.

Mr. Reeder tugged at the stout handle of his umbrella. There was a flicker of steel as he dropped the lower end, and in his hand appeared six inches of knife blade.

The first stab at the panel sliced through the thin wood as though it were paper. In a second there was a jagged gap through which the black muzzle of an automatic was thrust.

"Put down that jug or I will blow your features into comparative chaos!" said Mr. Reeder pedantically.

The room was brightly lit, and he could see plainly. Mrs. Welford stood by the side of a big square funnel, the narrow end of which ran into the floor. In her hand was a huge enamelled iron jug, and ranged about her were six others. In one corner of the room was a wide circular tank, and beyond, at half its height, depended a large copper pipe.

The woman's face turned to him was blank, expressionless.

"He wanted to run away with her," she said simply, "and after all I have done for him!"

"Open the door."

die, wie er später herausfand, mit Filz beklebt war, das Schlüsselloch zudeckte. Schwach vernahm er die Stimme der jungen Frau und hielt sein Ohr ans Schlüsselloch.

«Der Apparat ist nicht angeschlossen – ich kann die Tür nicht öffnen.»

Ohne länger zu zögern, rannte er mit dem Schirm in der Hand die Treppe hoch. Als er im oberen Flur ankam, hörte er eine Tür krachend ins Schloss fallen. Sofort ortete er das Geräusch. Es kam aus einem Zimmer links von ihm, direkt über der Eingangshalle. Die Tür war verschlossen.

«Machen Sie die Tür auf», befahl er, erntete aber nur ein kehliges Lachen.

Mr. Reeder zerrte an dem stabilen Griff seines Regenschirms. Als er das untere Ende fallen ließ, blitzte es metallisch auf, und er hielt eine fünfzehn Zentimeter lange Messerklinge in der Hand.

Der erste Hieb in die Täfelung schnitt durch das dünne Holz als sei es Papier. Nach dem zweiten Hieb klaffte ein zersplittertes Loch in der Tür, durch das er die schwarze Mündung seiner Selbstladepistole schob.

«Stellen Sie die Kanne weg, sonst richte ich in Ihrem Gesicht beträchtliche Unordnung an», sagte Mr. Reeder auf seine pedantische Art.

Der Raum war hell erleuchtet, so dass er alles deutlich sah. Mrs. Welford stand an einem großen quadratischen Trichter, dessen schmales Ende im Fußboden verschwand. In der Hand hielt sie eine riesige emaillierte Eisenkanne, sechs weitere standen um sie herum. In einer Ecke des Zimmers befand sich ein riesiger runder Tank, von dem aus halber Höhe ein breites Kupferrohr hinabführte.

Das ihm zugewandte Gesicht der Frau war leer und teilnahmslos.

«Er wollte mit ihr durchbrennen», sagte sie nur, «nach allem, was ich für ihn getan habe!»

«Machen Sie die Tür auf.»

Mrs. Welford set down the jug and ran her huge hand across her forehead.

"Sidney is my own darling," she said. "I've nursed him, and taught him, and there was a million – all in gold – in the ship. But they robbed him."

She was talking of one of the ill-fated enterprises of Telfers Consolidated Trust – that sunken treasure ship to recover which the money of the company had been poured out like water. And she was mad. He had guessed the weakness of this domineering woman from the first.

"Open the door; we will talk it over. I'm perfectly sure that the treasure ship scheme was a sound one."

"Are you?" she asked eagerly, and the next minute the door was open and Mr. J. G. Reeder was in that room of death.

"First of all, let me have the key of the telephone-room – you are quite wrong about that young lady: she is my wife."

The woman stared at him blankly.

"Your wife?" A slow smile transfigured the face. "Why – I was silly. Here is the key."

He persuaded her to come downstairs with him, and when the frightened girl was released, he whispered a few words to her, and she flew out of the house.

"Shall we go into the drawing-room?" he asked, and Mrs. Welford led the way.

"And now will you tell me how you knew – about the jugs?" he asked gently.

She was sitting on the edge of a sofa, her hands clasped on her knees, her deep-set eyes staring at the carpet.

Mrs. Welford stellte die Kanne ab und wischte sich mit der großen Hand über die Stirn.

«Sidney ist mein liebster Schatz», sagte sie. «Ich habe ihn großgezogen und unterrichtet. Und in dem Schiff war eine Million, in barem Gold. Aber sie haben ihn bestohlen.»

Sie redete von einer der glücklosen Unternehmungen von Telfers Consolidated Trust, dem gesunkenen «Schatzschiff», für dessen Hebung das Geld in Strömen aus der Firma geflossen war. Sie war verrückt. Von Anfang an hatte er vermutet, dass diese despotische Frau krank sein musste.

«Machen Sie die Tür auf. Wir reden über alles. Ich bin der Meinung, dass das Unternehmen mit dem Schatzschiff bestimmt eine vernünftige Sache war.»

«Meinen Sie wirklich?», fragte sie voller Eifer. Im nächsten Moment war die Tür offen und Mr. J. G. Reeder stand in dem Todeszimmer.

«Als Erstes geben Sie mir den Schlüssel zum Telefonzimmer. Was die junge Dame angeht, haben Sie sich geirrt: Sie ist meine Frau.»

Die Frau starrte ihn verdutzt an.

«Ihre Frau?» Ein Lächeln erhellte ihr Gesicht. «Oh, das war dumm von mir. Hier ist der Schlüssel.»

Er überredete sie, mit ihm nach unten zu kommen. Nachdem er die verängstigte junge Frau befreit hatte, flüsterte er ihr etwas zu und sie rannte aus dem Haus.

«Wollen wir in den Salon gehen?», fragte er, und Mrs. Welford wies ihm den Weg.

«Würden Sie mir jetzt bitte erzählen, woher Sie das mit den Kannen wissen?», fragte er sanft.

Sie saß auf der Sofakante und umklammerte die Knie, während ihre tiefliegenden Augen auf den Teppich starrten.

"John – that was my first husband – told me. He was a professor of chemistry and natural science, and also about the electric furnace. It is so easy to make if you have power – we use nothing but electricity in this house for heating and everything. And then I saw my poor darling being ruined through me, and I found how much money there was in the bank, and I told Billingham to draw it and bring it to me without Sidney knowing. He came here in the evening. I sent Sidney away – to Brighton, I think. I did everything – put the new lock on the telephone box and fixed the shaft from the roof to the little room – it was easy to disperse everything with all the doors open and an electric fan working on the floor – "

She was telling him about the improvised furnace in the green-house when the police arrived with the divisional surgeon, and she went away with them, weeping because there would be nobody to press Sidney's ties or put out his shirts.

Mr. Reeder took the inspector up to the little room and showed him its contents.

"This funnel leads to the telephone box – " he began.

"But the jugs are empty," interrupted the officer.

Mr. J. G. Reeder struck a match and, waiting until it burnt freely, lowered it into the jug. Half an inch lower than the rim the light went out.

"Carbon monoxide," he said, "which is made by steeping marble chips in hydrochloric acid – you will find the mixture in the tank. The gas is colourless and odourless – and heavy. You can pour it out of a jug like water. She could have bought the marble, but was afraid of arousing suspicion. Billingham was killed that way. She got him to

«John – das war mein erster Mann – hat es mir erzählt.
Er war Professor für Chemie und Naturwissenschaften.
Auch das über den elektrischen Schmelzofen. Wenn man
Strom hat, lässt er sich ganz leicht bauen. In unserem Haus
läuft alles elektrisch, die Heizung und so weiter. Als mir
klar wurde, dass ich meinen armen kleinen Liebling ruiniert hatte, habe ich mich erkundigt, wie viel Geld wir auf
der Bank haben. Ich wies Billingham an, es abzuheben und
es mir ohne Sidneys Wissen zu bringen. Er kam am Abend.
Ich hatte Sidney fortgeschickt, ich glaube, nach Brighton.
Es ist alles mein Werk: Ich habe das neue Schloss an der
Telefonkabine angebracht und den Schacht von oben in die
kleine Kammer gelegt. Es hat sich ganz leicht verteilen lassen, wenn alle Türen offen standen und ein elektrisches
Gebläse auf dem Boden gearbeitet hat ... »

Sie erzählte ihm gerade von dem improvisierten Ofen im
Gewächshaus, als die Polizei mit dem Gerichtsarzt eintraf.
Weinend, weil jetzt niemand mehr Sidneys Krawatten bügeln oder ihm die Hemden herauslegen würde, ging sie
mit.

Mr. J. G. Reeder führte den Inspektor in das kleine Zimmer und zeigte ihm die Einrichtung.

«Der Trichter führt in die Telefonkabine», hob er an.

«Aber die Kannen sind leer», unterbrach ihn der Inspektor.

Mr. J. G. Reeder riss ein Streichholz an, wartete, bis es
richtig brannte, und hielt es in eine der Kannen. Einen Zentimeter unterhalb des Randes erstickte das Feuer.

«Kohlenmonoxid», sagte er. «Es wird hergestellt, indem
man Marmorsplitter in Salzsäure einlegt. Sie finden die
Mischung in dem Tank. Das Gas ist farb- und geruchlos –
und schwer. Es lässt sich wie Wasser aus einem Krug
gießen. Sie hätte den Marmor kaufen können, doch sie hatte Angst, dass jemand Verdacht schöpfen würde. Billingham
ist auf diese Weise umgebracht worden. Sie hat ihn in die

go to the telephone box, probably closed the door on him herself, and then killed him painlessly."

"What did she do with the body?" asked the horrified officer.

"Come out into the hot-house," said Mr. Reeder, "and pray do not expect to see horrors: an electric furnace will dissolve a diamond to its original elements."

Mr. Reeder went home that night in a state of mental perturbation, and for an hour paced the floor of his large study in Brockley Road. Over and over in his mind he turned one vital problem: did he owe an apology to Margaret Belman for saying that she was his wife?

Telefonkabine gelockt, wahrscheinlich eigenhändig die Tür geschlossen und ihn mühelos erledigt.»

«Was hat sie mit der Leiche gemacht?», fragte der entsetzte Kriminalbeamte.

«Kommen Sie mit ins Gewächshaus», sagte Mr. Reeder. «Erwarten Sie bitte kein Schreckensszenario. Ein elektrischer Schmelzofen würde auch einen Diamanten in seine Bestandteile zerlegen.»

An diesem Abend kehrte Mr. Reeder in einem Zustand seelischer Aufgewühltheit nach Hause zurück. Über eine Stunde schritt er in seinem großen Arbeitszimmer in der Brockley Road auf und ab. Seine Gedanken kreisten unermüdlich um eine Frage: Musste er sich bei Margaret Belman entschuldigen, weil er sie als seine Frau bezeichnet hatte?

Sentimental Simpson

According to certain signs, the Amateur Detective thought his French window had been forced by a left-handed man who wore square-toed boots, the muddy print of the latter against the enamel of the door seemed to prove this beyond doubt. The direction of the knife-cuts in the putty about the window-glass supported the left-handed view.

Another point: Only a left-handed man would have thought of sawing through the left fold of the shutter.

The occupier of Wisteria Lodge explained all this to the real detective, who sat stolidly on the other side of the table in the occupier's dining-room at three o'clock in the morning, listening to the interesting hypothesis.

"I think if you look for a left-handed man with square-toed boots – or they may be shoes" said the householder quietly, even gently, "you will discover the robber."

"Ah," said the real detective, and swallowed his whisky deliberately.

"The curious thing about the burglary is this," the sufferer went on, "that although my cash-box was opened and contained over fourhundred pounds, the money was untouched. The little tray on top had not been even lifted out. My dear wife kept a lock of hair of her pet pom Chu Chin – the poor little dear was poisoned last year by those horrible people at The Limes. I'm sure they did it – "

"What about this lock of hair?" asked the detective, suddenly interested.

"It was damp, quite damp," explained the householder. "Now, as I say, my theory is that the man wore square-toed boots and a mackintosh. He was undoubtedly left-handed."

Der Sentimentale Simpson

Aus gewissen Zeichen schloss der Amateur-Detektiv, dass seine Terrassentür von einem Linkshänder aufgebrochen worden war, der breite Stiefel trug; das schien der dreckige Fußabdruck auf dem Türlack zweifelsfrei zu beweisen. Die Richtung der Einschnitte im Kitt des Fensterglases stützte die Linkshänder-Theorie.

Und noch etwas: Nur ein Linkshänder konnte auf die Idee kommen, den linken Fensterladen durchzusägen.

All dies erklärte der Bewohner des Hauses Wisteria Lodge dem echten Detektiv, der ihm um drei Uhr morgens mit unbewegter Miene an seinem Esszimmertisch gegenübersaß und sich die interessante Hypothese anhörte.

« Wenn Sie also nach einem Linkshänder Ausschau halten, der breite Stiefel trägt – es könnten allerdings auch Schuhe sein », sagte der Hausbesitzer mit ruhiger, fast leiser Stimme, « haben Sie den Einbrecher. »

« Aha », erwiderte der echte Detektiv und nippte bedächtig an seinem Whiskey.

« Eins fand ich an diesem Einbruch seltsam », fuhr der Geschädigte fort. « Obwohl meine Geldkassette, die über vierhundert Pfund enthielt, geöffnet wurde, ist das Geld nicht angerührt worden. Der kleine Einsatz oben in der Kassette wurde nicht einmal herausgehoben. Meine liebe Frau bewahrte darin eine Locke ihres Lieblingsspitzes Chu Chin auf – der arme kleine Kerl ist letztes Jahr von diesen schrecklichen Menschen drüben im Haus The Limes vergiftet worden. Ich bin mir sicher, dass sie es waren ... »

« Was war mit der Haarlocke? », fragte der Detektiv plötzlich interessiert.

« Sie war feucht, ziemlich feucht », erklärte der Hausbesitzer. « Also, wie gesagt, meine Theorie ist, dass der Mann breite Stiefel und einen Regenmantel trug. Er war zweifellos Linkshänder. »

"I see," said the real detective.

Then he went forth and took Sentimental Simpson out of his bed, not because he wore square-toed shoes (nor was he left-handed), but because there were certain tell-tale indications which pointed unmistakably to one man.

Mr. Simpson came blinking into the passage holding a paraffin lamp in his hand. He wore a shirt and an appearance of profound surprise.

"Hullo, Mr. Button," he said. "Lor' bless me, you gave me quite a start. I went to bed early tonight with the toothache, an' when I heard you knock I says to myself – "

"Get your trousers on," said Detective-Sergeant Button.

Simpson hesitated for just a fraction of a second and then retired to his sleeping apartment. Mr. Button bent his head and listened attentively for the sound of a stealthily opened window.

But Simpson did not run.

"And your coat and boots," said Button testily. "I'm surprised at you, Simpson – you never gave me this trouble before."

Simpson accepted the reproach with amazement.

"You don't mean to tell me that you want me?" he said incredulously, and added that if heaven in its anger deprived him of his life at that very moment, and on the spot, which he indicated with a grimy forefinger, he had been in bed since a quarter to ten.

"Don't let us have an argument," pleaded Mr. Button, and accompanied his guest to the police station.

On the day of the trial, whilst he was waiting in the corridor to go up the flight of stairs that leads to the dock, Simpson saw his captor.

«Gut», sagte der echte Detektiv.

Dann ging er los und holte den Sentimentalen Simpson aus dem Bett, nicht etwa, weil dieser breite Schuhe trug (er war auch kein Linkshänder), sondern weil es gewisse verräterische Hinweise gab, die unmissverständlich auf einen Menschen deuteten.

Mr. Simpson trat blinzelnd und mit einer Öllampe in der Hand in den Flur. Er trug ein Nachthemd und auf dem Gesicht einen Ausdruck tiefster Verwunderung.

«Hallo, Mr. Button», sagte er. «Mein Gott, haben Sie mich erschreckt. Ich bin heute Abend früh zu Bett gegangen, weil ich Zahnschmerzen hatte, und als ich Sie klopfen hörte, hab ich zu mir gesagt ...»

«Ziehen Sie Ihre Hose an», unterbrach ihn Sergeant Button.

Simpson zögerte den Bruchteil einer Sekunde und ging dann zurück in sein Schlafzimmer. Mr. Button lauschte mit aufmerksam geneigtem Kopf, ob nicht heimlich ein Fenster geöffnet wurde.

Doch Simpson floh nicht.

«Mantel und Stiefel auch», herrschte Button ihn an. «Sie überraschen mich, Simpson – bisher haben Sie mir noch nie solche Schwierigkeiten gemacht.»

Auf den Vorwurf reagierte Simpson mit Verwunderung.

«Wollen Sie damit sagen, Sie nehmen mich fest?», fragte er ungläubig und fügte hinzu, dass die Rache des Himmels ihn sofort und auf der Stelle treffen solle, wenn er nicht seit viertel vor zehn im Bett gelegen hätte. Dabei deutete er mit dem schmutzigen Zeigefinger auf den betreffenden Punkt.

«Keine Diskussionen», bat Mr. Button und begleitete seinen Gast aufs Polizeirevier.

Als Simpson am Verhandlungstag im Flur vor der Treppe zur Anklagebank wartete, sah er den Beamten, der ihn festgenommen hatte, wieder.

"Mr. Button," he said, "I hope there is no ill-feeling between you and me?"

"None whatever, Simpson."

"I don't think you are going to get a conviction," said Simpson thoughtfully. He was a round-faced, small-eyed man with a gentle voice, and when he looked thoughtful his eyes had the appearance of having retreated a little farther into his head. "I bear no ill-will to you, Mr. Button – you've got your business and I've got mine. But who was the 'snout'?"

Mr. Button shook his head. Anyway, the informer is a sacred being, and in this case there was, unfortunately, no informer. Therefore, there was a double reason for his reticence.

"Now what is the good of being unreasonable?" he said reprovingly. "You ought to know better than to ask me a question like that."

"But what made you think it was me?" persisted Simpson, and the sergeant looked at him.

"Who got upset over a lock of hair?" he asked significantly, and the eyes of his prisoner grew moist.

"Hair was always a weakness of mine," he said, with a catch in his voice. "A relic of what you might call a loved one ... somebody who has passed, Mr. Button, to ... to the great beyond (if you'll forgive the expression). It sort of brings a ... well, we've all got our feelings."

"We have," admitted Button kindly; "and talking about feelings, Simpson, what are my feelings going to be if I get a ticking off from the judge for bringing you up without sufficient evidence? I don't think you'll escape, mind you, but you know what juries are! Now, what about making a nice

«Mr. Button», sagte er, «ich hoffe, zwischen uns gibt es kein böses Blut?»

«Keinesfalls, Simpson.»

«Ich glaube nicht, dass Sie eine Verurteilung durchkriegen», sagte Simpson nachdenklich. Die Augen in seinem runden Gesicht waren klein und er sprach mit leiser Stimme. Wenn er nachdenklich war, sah es so aus, als würden die Augen sich noch tiefer in den Kopf zurückziehen. «Ich bin nicht nachtragend, Mr. Button. Sie machen Ihre Arbeit und ich meine, aber wer hat mich verpfiffen?»

Mr. Button schüttelte den Kopf. Nun sind Spitzel immer ein Tabu, aber da es in diesem Fall leider keinen Spitzel gab, hatte er erst recht Grund zu schweigen.

«Warum sind Sie nur so unvernünftig?», fragte er vorwurfsvoll. «Sie wissen doch, dass Sie mir solche Fragen nicht stellen dürfen.»

«Aber wie sind Sie überhaupt auf mich gekommen?», bohrte Simpson weiter, und der Sergeant schaute ihn an.

«Wen würde eine Haarlocke aus der Fassung bringen?», fragte er vieldeutig, und die Augen des Häftlings wurden feucht.

«Bei Haaren werde ich immer schwach.» Seine Stimme stockte. «Eine Erinnerung an einen geliebten Menschen ... jemanden, der ... Mr. Button, der ... ins Jenseits eingegangen ist (Bitte verzeihen Sie den Ausdruck). Ich muss dabei immer ... nun ja, jeder Mensch hat Gefühle.»

«Ja, das stimmt», räumte Button freundlich ein. «Und da wir gerade über Gefühle reden, Simpson: Wie werde ich mich wohl fühlen, wenn ich vom Richter einen Rüffel kriege, weil ich Sie ohne ausreichendes Beweismaterial vorgeführt habe? Ich glaube natürlich nicht, dass Sie davonkommen werden, aber Sie wissen ja, wie

little statement, Simpson? Just own up that you 'broke and entered' and I'll go into the box and say a good word for you. You don't want to make *me* look silly, do you?"

"I don't," confessed Simpson; "at the same time, I don't want to make myself look silly by owning up to a crime which, in a manner of speaking, is abhorrent to my nature."

"You read too many books," said his captor unpleasantly; "that is where you get all those crack-jaw words from. Think of what my poor wife will say if I get it in the neck from the judge ... it'll break her heart ..."

"Don't," gulped Mr. Simpson. Don't do it ... I can't stand it, Mr. Button."

What he might have done had the conversation been protracted is a matter for speculation. At that instant the warders haled him up the steps that lead to the dock.

And such was the weakness of the evidence against him that the jury found him Not Guilty without leaving the box.

"I cannot congratulate the police on the conduct of this case," said the judge severely and Simpson, looking upon the crestfallen face of Sergeant Button, thought of Mrs. Button's broken heart, and had to be assisted from the dock.

So Mr. Simpson went back to his little room in Castel Street. He had an uncomfortable feeling that he had failed a friend in the hour of his need, and he strove vainly to banish from his mind the thought of the shattered harmony of Detective Button's household.

It drew him just a little farther from contact with the world in which he lived, for he was not

Geschworene sind! Also Simpson, wie wäre es mit einem hübschen kleinen Geständnis? Geben Sie den Einbruch einfach zu, dann trete ich in den Zeugenstand und lege ein gutes Wort für Sie ein. Sie wollen doch nicht, dass *ich* dumm dastehe?»

«Nein, das nicht», gab Simpson zu. «Aber ich selbst will auch nicht dumm dastehen, indem ich ein Verbrechen zugebe, das mir sozusagen völlig wider die Natur geht.»

«Sie lesen zu viele Bücher», schimpfte der Mann, der ihn verhaftet hatte, «dort haben Sie all die Zungenbrecher her. Was meinen Sie, was meine arme Frau sagen wird, wenn ich vom Richter eins aufs Dach kriege ... es wird ihr das Herz brechen ...»

«Hören Sie auf», schluckte Mr. Simpson. «Bitte reden Sie nicht weiter ... Ich halte das nicht aus, Mr. Button.»

Was noch alles passiert wäre, wenn sich die Unterhaltung länger hingezogen hätte, lässt sich nur vermuten, denn in diesem Moment wurde Simpson von den Gefängniswärtern die Treppe zur Anklagebank hochgezerrt.

Das Beweismaterial gegen ihn war so schwach, dass die Jury ihn, ohne sich zur Beratung zurückzuziehen, für «Nicht schuldig» erklärte.

«Ich kann der Polizei nicht dazu gratulieren, wie sie in diesem Fall vorgegangen ist», sagte der Richter streng, und Simpson, der das niedergeschlagene Gesicht von Sergeant Button sah, dachte an das gebrochene Herz von Mrs. Button. Man musste ihn stützen, als er die Anklagebank verließ.

Und so kehrte Mr. Simpson in sein kleines Zimmer in der Castel Street zurück. Er hatte das unangenehme Gefühl, einen Freund in der Stunde der Not im Stich gelassen zu haben, und versuchte vergeblich, nicht an den gestörten Familienfrieden im Hause von Detective Button zu denken.

Das alles entfremdete ihn seinem persönlichen Umfeld nur noch mehr, war er doch ohnehin als Geschäftspartner

a popular partner and had few friends. One by one they had fallen away in consequence of his degrading weakness. Lew Saffron, who had openly and publicly stated at the "Nine Crowns" that Simpson was the greatest artist that had ever smashed a safe, even Lew eventually dropped him after a disastrous partnership.

"It would have been a success and we'd have got away with the finest parcel of stones that ever was taken in one haul," he said relative to a certain Hatton Garden job which he had worked with Simpson, "but what happened? He got the safe open and I was downstairs, watching the street for the copper, expecting him to come down with the stuff. I waited for ten minutes and then went up, and what did I see? This blank, blank Simpson sitting on the blank, blank floor, and crying his blank, blank eyes out over some old love-letters that Van Voss kept in his safe! Letters from a blank, blank typist that Van Voss had been in love with. He said they touched him to the core. He wanted to go and kill Van Voss, and by the time I'd got him quiet the street was full of bulls ... we got away over the roof ... no more Simpson for me, thank you!"

Mr. Simpson sighed as he realised his lonely state. Nevertheless his afternoon was not unprofitably spent, for there were six more chapters of 'Christy's Old Organ' to be read before, red-eyed, he returned the book to the free library which he patronised.

He had an appointment that evening with Charles Valentino, the keeper of a bar at Kennington and a man of some standing in the world-beneath-the-world.

nicht besonders beliebt und besaß nur wenige Freunde. Einer nach dem anderen hatten sie sich wegen seiner schändlichen Schwäche von ihm zurückgezogen. Selbst Lew Saffron, der im Lokal «Neun Kronen» in aller Öffentlichkeit verkündet hatte, dass Simpson unter den Safeknackern der größte Künstler aller Zeiten sei, selbst Lew hatte ihn nach einer katastrophal verlaufenen Zusammenarbeit fallen lassen.

«Es hätte ein Erfolg werden und wir hätten das schönste Juwelenpaket mitgehen lassen können, das jemals bei einem einzigen Raub zusammengekommen ist», erzählte er über ein gewisses Unternehmen in Hatton Garden, bei dem er mit Simpson zusammengearbeitet hatte. «Aber was passierte? Während Simpson den Safe knackte, stand ich unten auf der Straße Schmiere und wartete, dass er mit dem Zeug runterkommt. Zehn Minuten habe ich gewartet, dann bin ich hoch gegangen. Was sahen meine Augen? Den dämlichen, dämlichen Simpson, der auf dem dämlichen, dämlichen Boden saß und sich die dämlichen, dämlichen Augen über irgendwelche alten Liebesbriefe ausweinte, die Van Voss in seinem Safe aufbewahrte! Die Briefe einer dämlichen, dämlichen Tippse, in die Van Voss mal verliebt war. Simpson meinte, sie hätten ihn zutiefst berührt, und wollte losgehen und Van Voss umbringen. Bis ich ihn wieder beruhigt hatte, wimmelte es auf der Straße von Polypen ... wir sind über das Dach entkommen ... vielen Dank, aber mit Simpson nie wieder!»

Mr. Simpson seufzte, als ihm aufging, wie einsam er war. Trotzdem musste er den Nachmittag nicht sinnlos verstreichen lassen, denn er hatte noch sechs Kapitel in dem Buch ‹Christys alte Orgel› zu lesen, bevor er es mit rotgeweinten Augen in die Leihbücherei, bei der er Stammgast war, zurückbringen würde.

Am Abend hatte er eine Verabredung mit Charles Valentino, der in Kennington eine Bar betrieb und in der Unterwelt einiges Ansehen genoss.

He was a tall man with a dronping moustache (though his appearance is of no importance), and he was fattish of figure, heavy and deliberate of speech.

"What's this I hear about the job you did Simpson? I couldn't believe my eyes when I read it in the newspaper. Got acquitted, too! You ought to have had ten years!"

Mr. Simpson looked uncomfortable.

"Left four hundred and thirty pounds in treasury notes in a box that you had opened, that wasn't even locked? What's the matter with you, Simpson?" Charles Valentino's tone was one of amazement, incredulity, and admonishment.

"I can't help it, Mr. Valentino." Tears were in Sentimental Simpson's eyes. "When I saw that lock of 'air on the tray and I thought perhaps that it was a lock of the 'air of his mother, treasured, so to speak —"

Here Mr. Simpson's voice failed him, and he had to swallow before he continued: "It's me weakness, Mr. Valentino; I just couldn't go any farther."

Mr. Valentino puffed thoughtfully at his cigar.

"You owe me seventy pounds; I suppose you know that?" he asked unpleasantly. "Seventy pounds is seventy pounds."

Simpson nodded.

"It cost me thirty pounds for a mouthpiece," Valentino continued, and by "mouthpiece" he referred to the advocate who had pleaded Simpson's cause; "twentyfive pounds for that new lot of tools I got you, when you came out of 'stir' last May; ten pounds I lent you to do that Manchester job, which you never paid me back — the so-called

Valentino war ein großer, ziemlich fetter Mann mit einem herabhängenden Schnurrbart (sein Äußeres allerdings tut hier nichts zur Sache), der sich einer gemessenen und gewählten Ausdrucksweise bediente.

«Was höre ich da über das Ding, das Sie gedreht haben, Simpson? Ich hab meinen Augen nicht getraut, als ich davon in der Zeitung las. Und dann noch freigesprochen werden! Die hätten Ihnen zehn Jahre aufbrummen sollen!»

Mr. Simpson wirkte verlegen.

«Vierhundertunddreißig Pfund in Scheinen in einer Kassette liegen lassen, die Sie bereits geöffnet hatten, die nicht einmal abgeschlossen war? Was ist los mit Ihnen, Simpson?», schalt ihn Charles Valentino in einer Mischung aus Verwunderung und Ungläubigkeit.

«Ich kann nichts dafür, Mr. Valentino.» Dem Sentimentalen Simpson standen Tränen in den Augen. «Als ich die Haarlocke in dem Einsatz sah und mir vorstellte, dass es sich vielleicht um eine als Andenken gehütete Locke seiner Mutter handelt, sozusagen …»

An dieser Stelle versagte Mr. Simpson die Stimme, und er musste schlucken, bevor er fortfahren konnte: «Meine alte Schwäche, Mr. Valentino, ich konnte einfach nicht weitermachen.»

Mr. Valentino paffte nachdenklich an seiner Zigarre.

«Sie schulden mir siebzig Pfund, das wissen Sie doch?», fragte er unfreundlich. «Siebzig Pfund sind siebzig Pfund.»

Simpson nickte.

«Dreißig Pfund habe ich für den Rechtsverdreher gezahlt», fuhr Valentino fort. Mit dem «Rechtsverdreher» meinte er den Anwalt, der Simpson vertreten hatte. «Fünfundzwanzig für den neuen Werkzeugsatz, den ich Ihnen besorgt habe, als Sie letzten Mai aus dem Kittchen kamen; und die zehn Pfund, die ich Ihnen für das Ding in Manchester geliehen habe, schulden Sie mir auch noch. Der sogenannte Schmuck, den Sie mir mitgebracht haben, war

jewellery you brought down was all Birmingham stuff, nine carat, and not worth the
freight charges – and here you had a chance of
getting real money ... well, I'm surprised at
you, that's all I can say, Simpson."

Simpson shook his head unhappily.

Mr. Valentino, thinking that perhaps he had
gone as far as was necessary, beckoned the Ital-
ian waiter (the conference took place at a little
brasserie in Soho) and invited his companion.

"What will you have, Simpson?"

"Gin," said the wretched Simpson.

"Gin goes with tears." Mr. Valentino was
firm. "Have a more manly drink, Simpson."

"Beer," corrected Simpson despondently.

"Now I'll tell you what it is," said Mr. Valentino when their needs had been satisfied.

"Things can't go on as they are going. I am a
commercial man, and I've got to make money.
I don't mind taking a risk when there's loot at
the end of it, but I tell you, Simpson, straight,
that I am going to chuck it up unless some of
you hooks pay more attention to business.
Why," went on Mr. Valentino indignantly, "in
the old days I never had this kind of trouble
with you boys! Willie Topple never gave me,
what I might term, a moment's uneasiness."

It was always serious when Mr. Valentino
dragged Willie Topple from his grave in Exeter
Gaol and set him up as a model of industry,
and Sentimental Simpson moved uncomfort-
ably in his velvet chair.

"Willie was always on the spot, and if he did
a job, there was the stuff all nicely packed up,"
said Mr. Valentino reminiscently. "He'd just

nichts Besonderes, billiges Zeug aus Birmingham, neun-
karätig und nicht mal die Transportkosten wert. Und jetzt
hatten Sie einmal Gelegenheit, richtig an Geld zu kommen ... also wirklich, Sie überraschen mich, Simpson,
mehr kann ich dazu nicht sagen.»

Simpson schüttelte unglücklich den Kopf.

Mr. Valentino glaubte, alles Nötige gesagt zu haben,
winkte dem italienischen Kellner (die Unterredung fand
in einem kleinen Lokal in Soho statt) und lud seinen Be-
gleiter ein.

«Was nehmen Sie, Simpson?»

«Gin», erwiderte der zerknirschte Simpson.

«Gin passt zu Tränen.» Mr. Valentino war unnachgie-
big. «Nehmen Sie einen männlicheres Getränk, Simpson.»

«Bier», korrigierte sich Simpson verzagt.

«Also, jetzt sage ich Ihnen mal was», hob Mr. Valentino an, als ihr Durst gestillt war. «So kann es nicht weiter-
gehen. Ich bin Geschäftsmann und muss Geld verdienen.
Wenn zum Schluss eine gute Beute herausschaut, gehe
ich gern Risiken ein, aber eins sollten Sie sich hinter die
Ohren schreiben, Simpson: Wenn einige von euch Lang-
fingern nicht besser aufpassen, werde ich alles hin-
schmeißen. Wirklich, in alten Zeiten hatte ich nie Ärger
mit euch Jungs», fuhr Mr. Valentino ungehalten fort.
«Willie Topple hat mir nicht eine Minute lang Sorgen
gemacht, wenn ich das mal so sagen darf.»

Wenn Mr. Valentino Willie Topple aus seinem Grab im
Gefängnis von Exeter zerrte und ihn als Vorbild für Ar-
beitseifer hinstellte, wurde es ernst. Der Sentimentale
Simpson rutschte unbehaglich auf seinem Samtstuhl hin
und her.

«Willie war immer auf Draht, und wenn er ein Ding
gedreht hatte, brachte er das Zeug stets hübsch verpackt»,
schwelgte Mr. Valentino in Erinnerungen. «Er kam ein-

step into the saloon bar, order a drink, and shove
the stuff across the counter. 'You might keep this
box of chocolates for me, Mr. Valentino,' that's
what he'd say, and there it was, every article
wrapped in tissue paper. I used to compare them
with the list published in the 'Hue and Cry', and
never once did Willie deliver short."

He sighed.

"Times have changed," he said bitterly. "Some
of you boys have got so careless that me heart's in
me mouth every time a 'split' strolls into the bar.
And what do I get out of it? Why, Willie Topple
drew seventeen hundred pounds commission from
me in one year – you owe me seventy!"

"I admit it is a risk being a fence – " began Mr.
Simpson.

"A what?" said the other sharply. "What was
that word you used, Simpson?"

Mr. Simpson was silent.

"Never use that expression to me. A fence! Do
you mean the receiver of stolen property? I *mind*
things for people. I take a few articles, so to speak,
in pawn for my customers. I'm surprised at you,
Simpson."

He did not wait for Mr. Simpson to express his
contrition, but bending forward over the table,
lowered his voice until it was little more than a
rumble of subterranean sound.

"There's a place in Park Crescent, No. 176," he
said deliberately. "That's the very job for you,
Simpson. Next Sunday night is the best time, because there will only be the kid in the house.
There's lashings of jewellery, pearl necklaces, diamond plaques, and the father and mother are away
at Brighton. They are going to a wedding. I have

fach in die Bar, bestellte einen Drink und schob das Zeug über die Theke. ‹Würden Sie diese Pralinenschachtel für mich aufbewahren, Mr. Valentino›, pflegte er zu sagen. Und jedes einzelne Stück war in Seidenpapier gewickelt. Ich habe die Sachen immer mit der im ‹Hue and Cry› abgedruckten Liste verglichen. Nicht einmal hat Willie schlecht geliefert.»

Er seufzte.

«Die Zeiten haben sich geändert», sagte er bitter. «Ein paar von euch Jungs sind so unvorsichtig geworden, dass mir jedes Mal, wenn ein Polyp in meiner Bar aufkreuzt, das Herz bis zum Halse schlägt. Und was habe ich davon? Also, Willie Topple hat von mir in einem Jahr siebzehnhundert Pfund Provision bekommen – Sie schulden mir siebzig!»

«Ich gebe ja zu, dass es riskant ist, Hehler zu sein ...», hob Mr. Simpson an.

«Wie bitte?», schnappte der andere. «Was für ein Wort haben Sie da gerade benutzt, Simpson?»

Mr. Simpson schwieg.

«Nennen Sie mich nie wieder so. Ein Hehler! Meinen Sie damit jemanden, der Diebesgut annimmt? Ich *bewahre* Sachen für andere Leute auf. Ein paar Dinge nehme ich sozusagen als Pfand von meinen Kunden. Ich muss mich sehr über Sie wundern, Simpson.»

Er wartete Simpsons Reuebezeugungen nicht ab, sondern beugte sich über den Tisch und sprach mit so leiser Stimme weiter, dass sie nur noch einem unterirdischen Grollen glich.

«Es gibt da ein Haus im Park Crescent, Nr. 176», erklärte er bedächtig. «Das ist genau das Richtige für Sie, Simpson. Nächsten Sonntag ist der ideale Zeitpunkt, denn dann wird nur das Kind zu Hause sein. Es gibt dort Unmengen von Juwelen, Perlenketten, Diamantenbroschen. Die Eltern des Kindes sind in Brighton auf einer Hochzeit. Ich hatte einen Kundschafter im Haus, einen Fensterputzer, und er

had a 'nose' in the house, a window-cleaner, and he says all the stuff is kept in a little safe under the mother's bed. The best time is after eleven. They go to bed early ... and a pantry window that you can reach from the back of the house, only a wall to climb, and that's in a mews. Now, what do you say, Simpson?"

Mr. Simpson scratched his chin.

"I'll have a look round," he said cautiously. "I don't take much notice of these window-cleaners. One put me on to the job at Purley – "

"Let bygones be bygones," said Mr. Valentino. "I know all about that Purley business. You'd have made a profit if your dam' curiosity hadn't made you stop to read the funeral cards in the cook's bedroom. And after we'd got the cook called away so that you should have no trouble and an empty house to work in! The question is, will you do this, or shall I put Harry Welting on to it? He is not as good a man as you, I admit, Simpson, though he hasn't your failings."

"I'll do it," said Mr. Simpson, and the other nodded approvingly.

"If a fiver is any good to you ...?" he said.

"It will be a lot of good to me," said Mr. Simpson fervently, and the money was passed.

It was midnight on the 26th June, and it was raining – according to Mr. Simpson's extravagant description – cats and dogs, when he turned into Park Mews, a deserted and gloomy thoroughfare. He had marked the little gate in the wall by daylight. The wall itself was eight feet in height and surmounted by spikes. Mr. Simpson favoured walls so guarded. The spikes, if they were not too old, served to attach the light rope he carried. In

sagt, die Klunker würden in einem kleinen Safe unter dem Bett der Mutter aufbewahrt. Am besten wäre es nach elf. Sie gehen dort früh zu Bett … hinterm Haus gibt es ein Fenster zur Speisekammer, Sie müssten nur über eine Mauer klettern, und die ist bei den Stallungen. Also, was meinen Sie, Simpson?»

Mr. Simpson kratzte sich am Kinn.

«Ich werde mich mal umschauen», sagte er zögernd. «Von diesen Fensterputzern halte ich nicht viel. In Purley hat mir mal einer ein Ding …»

«Lassen wir die Vergangenheit ruhen», sagte Mr. Valentino. «Ich kenne die Purley-Geschichte ganz genau. Sie hätten ein gutes Geschäft gemacht, wenn Sie wegen Ihrer verdammten Neugierde nicht angefangen hätten, die Beileidskarten im Schlafzimmer der Köchin zu lesen. Dabei hatten wir die Köchin extra weggelockt, damit Sie keinen Ärger kriegen und in einem leeren Haus arbeiten konnten. Also, machen Sie es, oder soll ich Harry Welting den Job geben? Ich gebe zu, so gut wie Sie ist er nicht, Simpson, allerdings hat er auch nicht Ihre Schwächen.»

«Ich mach's», sagte Mr. Simpson und der andere nickte zustimmend.

«Würden Sie mit fünf Pfund etwas anfangen können …?», fragte er.

«Sehr viel sogar», sagte Mr. Simpson begeistert und der Schein wechselte die Hand.

Es war Mitternacht am 26. Juni und es regnete – wie Mr. Simpson es übertrieben beschrieb – sintflutartig, als er in die Park Mews, eine verlassene und düstere Straße, einbog. Bei Tageslicht hatte er die kleine Tür in der Mauer markiert. Die Mauer selbst war zweieinhalb Meter hoch und endete oben in spitzen Eisenzacken. Mr. Simpson mochte derart bewehrte Mauern, denn wenn die Zacken nicht zu alt waren, konnte er an ihnen das leichte Seil, das er dabei hatte, verankern. Innerhalb von zwei Minuten war die Mauer

two minutes he was over the wall and was working scientifically at the pantry window. Ten minutes afterwards he was hanging up his wet mackintosh in the hall. He paused only to slip back the bolts of the door, unfasten the chain, and turn the key softly, before he mounted the thickly carpeted stairs.

The house was in darkness. Only the slow tick of the hall-clock broke the complete stillness, and Mr. Simpson walked up the stairs, keeping time to the clock, so that any accidental creak he might make might be confounded by a listener with the rhythmic noise of the timepiece.

The first bedroom which he entered was without occupant. He gathered from the richness and disposition of the furniture, and the handsomeness of the appointments, that this was the room occupied by the father and mother now participating in the Brighton festivities.

He made a thorough and professional examination of the dressing-table, found and pocketed a small diamond brooch of no enormous value, choked for a second at the silver-framed picture of a little girl that stood upon the dressing-table, but crushed down his emotions ruthlessly.

The second bedroom was less ornate, and like the other, untenanted. Here he drew blank. It was evidently a room reserved for visitors; the dressing-table was empty as also was the wardrobe. Then he remembered and went back to the room he had searched and flashed his lamp under the bed. There was no sign of a safe. It may be in the third room, thought Mr. Simpson, and turned the handle of the door softly. He knew, the moment he stepped inside, that the big four-poster bed he could dimly see

überwunden, und er machte sich fachmännisch am Speisekammerfenster zu schaffen. Zehn Minuten später hängte er seinen nassen Regenmantel in der Eingangshalle auf. Er schob nur noch die Riegel der Haustür auf, hängte die Kette aus, drehte den Schlüssel leise im Schloss und stieg dann unverzüglich die mit dicken Teppichen ausgelegte Treppe hoch.

Im Haus war es dunkel. Die Stille wurde nur vom langsamen Ticken der Dielenuhr durchbrochen. Im Takt des Uhrwerks stieg Mr. Simpson die Treppe hoch, damit ein Zuhörer jedes versehentliche Knarren, das er verursachen mochte, mit dem rhythmischen Geräusch des Zeitmessers verwechseln würde.

Im ersten Schlafzimmer, das er betrat, war niemand. Das reich verzierte Mobiliar und die gepflegte Ausstattung verrieten ihm, dass es sich um das Zimmer der Eltern handelte, die zur Stunde auf dem Fest in Brighton weilten.

Er machte sich an eine gründliche und professionelle Durchsuchung der Frisierkommode und fand eine nicht besonders wertvolle kleine Diamantenspange, die er einsteckte. Vor einem silbergerahmten Bild, das auf der Kommode stand und ein kleines Mädchen zeigte, musste er kurz schlucken, doch er kämpfte seine Gefühle rücksichtslos nieder.

Das zweite Schlafzimmer war bescheidener eingerichtet und wie das erste unbewohnt. Hier hatte er kein Glück. Es handelte sich offensichtlich um ein Gästezimmer; die Kommode und auch der Kleiderschrank waren leer. Da erinnerte er sich an etwas. Er ging zurück in das Zimmer, das er bereits durchsucht hatte, und leuchtete mit seiner Taschenlampe unters Bett. Keine Spur von einem Safe.

Vielleicht war er ja im dritten Zimmer, überlegte Mr. Simpson und drückte vorsichtig die Türklinke hinunter. Als er ins Zimmer trat, war ihm sofort klar, dass in dem

was occupied. He could hear the regular breathing of the sleeper and for a second hesitated, then stepping forward carefully, he moved to the side of the bed, listening again.

Yes, the breathing was regular. He dare not put his lamp upon the sleeper. This must be the child's room he guessed, and contented himself with stooping and showing a beam of light beneath the bed. He gasped. There was the "safe"! A squat, steel box. He put out the light and laid the torch gently upon the floor, then groping beneath the bed, he gripped the box and slid it toward him. It was very heavy, but not too heavy to carry.

Drawing the treasure clear of the bed, he slipped his torch in his pocket and lifted the box. If it had been the safe he had expected, his success would have been impossible of achievement. As it was, the weight of this repository taxed his strength. Presently he had it well gripped and began a slow retreat. He was half-way across the room when there was a click, and instantly the room was flooded with light. In his natural agitation the box slipped from his fingers; he made a wild grab to recover his hold, and did succeed in putting it down without noise, but no more. And then he turned, open-mouthed, to the child who was watching him curiously from the bed.

Never in his life had Sentimental Simpson seen a child so fairylike, so ethereal in her loveliness. A mass of golden hair was tied back by a blue ribbon, and the big eyes that were fixed on him showed neither fear nor alarm. She sat up in bed, her thin white hands clasping the knees doubled beneath the coverlet, an interested and not unamused spectator of Mr. Simpson's embarrassment.

großen Himmelbett, das er im Halbdunkel erkannte, jemand lag. Er hörte die regelmäßigen Atemzüge eines Schlafenden und zögerte einen Moment lang, dann aber schlich er ans Bett heran und lauschte erneut.

Ja, der Atem ging regelmäßig. Er wagte es nicht, den Schläfer anzuleuchten. Dies musste das Kinderzimmer sein, vermutete er und begnügte sich damit, sich zu bücken und den Lichtstrahl unters Bett zu richten. Es verschlug ihm den Atem. Da stand der «Safe»! Eine flache Stahlkassette. Er knipste das Licht aus, legte die Taschenlampe vorsichtig auf den Boden und suchte tastend unterm Bett, bis er die Kassette berührte und sie zu sich zog. Sie war sehr schwer, aber er konnte sie gerade noch bewegen.

Er schob den Schatz weiter vom Bett weg, steckte die Taschenlampe ein und hob die Kassette hoch. Hätte es sich um den Safe gehandelt, mit dem er gerechnet hatte, wäre dies niemals möglich gewesen. Schon das Gewicht dieses Behälters stellte seine Kraft auf die Probe. Endlich hatte er die Kassette sicher im Griff und begann sich langsam zurückzuziehen. Er hatte das Zimmer halb durchquert, als etwas klickte. Im nächsten Moment war der Raum hell erleuchtet. Natürlich erschrak er, und die Kassette entglitt seinen Fingern. Hastig packte er zu, um sie aufzufangen, und schaffte es gerade noch, sie geräuschlos abzustellen, mehr aber nicht. Dann wendete er sich mit offenem Mund dem Kind zu, das ihn vom Bett aus neugierig beobachtete.

Noch nie im Leben hatte der Sentimentale Simpson ein so feengleiches Kind gesehen, es wirkte geradezu ätherisch in seiner Zartheit. Das lange goldene Haar wurde von einem blauen Band zurückgehalten, und es blickte ihn aus großen Augen an, in denen weder Furcht noch Besorgnis zu lesen waren. Das Mädchen setzte sich im Bett auf, umfasste mit den zierlichen weißen Händen die unter der Decke aufgestellten Knie und betrachtete den verlegenen Mr. Simpson interessiert und sogar ein wenig belustigt.

"Good evening, Mr. Burglar," she said softly and smiled.

Simpson swallowed something.

"Good evening, miss," he said huskily. "I hope I haven't come into the wrong house. A friend of mine told me to call and get a box he had forgotten – "

"You're a burglar," she said, nodding wisely; "of course you're a burglar. I am awfully glad to see you. I have always wanted to meet a burglar."

Mr. Simpson, a prey to various emotions, could think of no suitable reply. He looked down at the box and he looked at the child, and blinked furiously.

"Come and sit here," she pointed to a chair by the side of the bed.

The dazed burglar obeyed.

"How long have you been a burglar?" she demanded.

"Oh, quite a long time, miss," said Mr. Simpson weakly.

She shook her head reproachfully.

"You should not have said that – you should have said that this was your first crime," she said. "When you were a little boy, were you a burglar?"

"No, miss," said the miserable Simpson.

"Didn't your mother ever tell you that you mustn't be a burglar?" asked the child, and Simpson broke down.

"My poor old mother!" he sobbed.

It is true to say that in her lifetime the late Mrs. Simpson had evoked no extravagant expressions of affection from her children, who had been rescued from her tender care at an early age, and had been educated at the rate-payers' expense at the

«Guten Abend, Herr Einbrecher», sagte es sanft und lächelte.

Simpson schluckte.

«Guten Abend, Miss», sagte er mit rauer Stimme. «Ich hoffe, ich habe mich nicht im Haus geirrt. Ein Freund bat mich, hier vorbeizuschauen und eine Kassette abzuholen, die er vergessen ...»

«Sie sind ein Einbrecher», sagte sie und nickte wissend, «natürlich sind Sie ein Einbrecher. Ich freue mich sehr, dass Sie gekommen sind. Ich wollte schon immer einen Einbrecher kennenlernen.»

Mr. Simpson, der von widerstreitenden Gefühlen überwältigt wurde, fiel keine passende Antwort ein. Er schaute auf die Kassette hinab, sah dann das Kind an, und blinzelte heftig.

«Kommen Sie, setzen Sie sich.» Sie deutete auf einen Stuhl neben dem Bett.

Der benommene Einbrecher gehorchte.

«Wie lange sind Sie schon Einbrecher?», fragte sie.

«Oh, schon ziemlich lange, Miss», sagte Mr. Simpson matt.

Sie schüttelte vorwurfsvoll den Kopf.

«Das hätten Sie nicht sagen dürfen – Sie hätten sagen müssen, dass dies Ihr erstes Verbrechen war», meinte sie. «Waren Sie schon als kleiner Junge Einbrecher?»

«Nein, Miss», sagte der unglückselige Simpson.

«Hat Ihre Mutter Ihnen denn nicht gesagt, dass man nicht Einbrecher werden darf?», fragte das Kind. Da war es mit Simpsons Fassung vorbei.

«Meine arme alte Mutter!», schluchzte er.

Zwar hatte die selige Mrs. Simpson zu Lebzeiten bei ihren Kindern kaum besondere Gefühle von Zuneigung geweckt, da diese schon in jungen Jahren aus ihrer treusorgenden Pflege gerettet und auf Kosten des Steuerzahlers im städtischen Armenhaus großgezogen worden waren,

local workhouse. But the word "mother" always affected Mr. Simpson that way.

"Poor man," said the child tenderly. She reached out her hand and laid it upon Mr. Simpson's bowed head. "Do your little children know that you are a burglar?" she asked.

"No, miss," sobbed Simpson.

He had no little children. He had never been married, but any reference to his children always brought a lump into his throat. By spiritual adoption he had secured quite a large family. Sometimes, in periods of temporary retirement from the activities and competition of life, he had brooded in his cell, his head in his hands, on how his darling little Doris would miss her daddy, and had in consequence enjoyed the most exquisite of mental tortures.

"Are you a burglar because you are hungry?"

Mr. Simpson nodded. He could not trust himself to speak.

"You should say – 'I'm starving, miss!'" she said gently. "*Are* you starving?"

Mr. Simpson nodded again.

"Poor burglar!"

Again her hand caressed his head, and now he could not restrain himself any more. He fell on his knees by the side of the bed and, burying his head in his arms, his shoulders heaved.

He heard her slip out of bed on the other side and the shuffle of her slippered feet as she crossed the room.

"I am going to get you some food, Mr. Burglar," she said softly.

All Mr. Simpson's ill-spent life passed before his anguished eyes as he waited. He would reform, he

doch das Wort «Mutter» rief bei Mr. Simpson unweigerlich diese Reaktion hervor.

«Sie Armer», sagte das Kind mitfühlend. Es streckte die Hand aus und legte sie auf Mr. Simpsons gesenkten Kopf. «Wissen Ihre kleinen Kinder denn, dass Sie Einbrecher sind?», fragte sie.

«Nein, Miss», schluchzte Simpson.

Er hatte keine kleinen Kinder, denn er war nie verheiratet gewesen, doch jedes Mal, wenn er auf Kinder angesprochen wurde, bekam er einen Kloß im Hals. Im Geiste hatte er eine recht große Familie adoptiert. In Zeiten des Rückzugs von den Aktivitäten und Anstrengungen des Alltagslebens hatte er bisweilen – den Kopf in die Hände gestützt – in seiner Zelle darüber gegrübelt, wie sehr seine liebe kleine Doris ihren Daddy vermissen musste, und die geistigen Qualen, die er dabei genoss, waren köstlich gewesen.

«Sind Sie Einbrecher, weil Sie Hunger haben?»

Mr. Simpson nickte. Eine Antwort traute er sich nicht zu.

«Sie müssen sagen: ‹Ich sterbe vor Hunger, Miss!›», sagte sie sanft. «*Sterben* Sie vor Hunger?»

Wieder nickte Mr. Simpson.

«Armer Einbrecher!»

Erneut fuhr sie ihm sanft mit der Hand über den Kopf. Jetzt verlor er endgültig die Beherrschung. Er fiel neben dem Bett auf die Knie, schlug die Hände vors Gesicht und seine Schultern bebten.

Er hörte, wie sie auf der anderen Seite aus dem Bett glitt und mit schlurfenden Pantoffeln durchs Zimmer ging.

«Ich werde Ihnen etwas zu essen holen, Herr Einbrecher», sagte sie sanft.

Während Mr. Simpson wartete, zog ein ganzes vergeudetes Leben an seinem gequälten inneren Auge vorüber.

swore. He would live an honest life. The influence of this sweet, innocent child should bear its fruit. Dear little soul, he thought, as he mopped his tear-stained face, she was down there in that dark, cold kitchen, getting him food. How brave she was! It was a long time before she came back bearing a tray that was all too heavy for her frail figure to support. He took it from her hands reverently and laid it on the table.

She was wearing a blue silk kimono that emphasised the purity of her delicate skin. He could only look at her in awe and wonder.

"You must eat, Mr. Burglar," she said gently.

"I couldn't eat a mouthful, miss," he protested tearfully. "What you said to me has so upset me, miss, that if I eat a crumb, it will choke me."

He did not mention, perhaps he had forgotten, that an hour previous he had supped to repletion. She seemed to understand, and sat down on the edge of the bed, her grave eyes watching him.

"You must tell me about yourself," she said. "I should like to know about you, so that I can pray for you, Mr. Burglar."

"Don't, miss!" blubbered Mr. Simpson. "Don't do it! I can't stand it! I have been a terrible man. I used te be a lob-crawler once. You don't know what a lob-crawler is? I used to pinch tills. And then I used to do ladder work. You know, miss, I put ladders up against the windows whilst the family was in the dining-room and got away with the stuff. And then I did that job at Hoxton, the fur burglary. There was a lot about it in the papers – me and a fellow named Moses. He was a Hebrew gentleman," he added unnecessarily.

Er schwor sich Besserung und wollte ab jetzt ein ehrlicher Mensch werden. Die Begegnung mit diesem lieben, unschuldigen Kind sollte Früchte tragen. Die gute kleine Seele, dachte er und wischte sich die Tränen aus dem Gesicht, jetzt war sie unten in der dunklen kalten Küche, um ihm etwas zu essen zu holen. Wie tapfer sie war! Es dauerte lange, bis sie mit einem Tablett in den Händen zurückkam, das viel zu schwer für ihre zarte Person war. Ritterlich nahm er es ihr ab und stellte es auf einen Tisch.

Sie trug einen blauen Seidenkimono, der die Reinheit ihrer zarten Haut noch betonte. Er konnte sie nur voller Ehrfurcht und Bewunderung anstarren.

«Sie müssen essen, Herr Einbrecher», sagte sie sanft.

«Ich bringe keinen Bissen hinunter, Miss», beteuerte er weinerlich. «Was Sie zu mir gesagt haben, Miss, hat mich so aufgerüttelt, dass mich der kleinste Krümel ersticken würde.»

Dass er erst vor einer Stunde ordentlich zu Abend gegessen hatte, erwähnte er nicht, vielleicht hatte er es auch vergessen. Sie zeigte Verständnis, setzte sich auf die Bettkante und schaute ihn aus ernsten Augen an.

«Erzählen Sie mir von sich», sagte sie. «Ich möchte gern alles über Sie wissen, damit ich für Sie beten kann, Herr Einbrecher.»

«Bitte nicht, Miss!», jammerte Mr. Simpson. «Bitte lassen Sie das! Ich halte es nicht aus! Ich war ein schrecklicher Mensch. Früher einmal war ich Kassenknacker. Sie wissen nicht, was das ist, ein Kassenknacker? Ich habe Ladenkassen geklaut. Und danach war ich im Leiter-Geschäft. Wissen Sie Miss, ich habe Leitern an Fenster gestellt, während die Familien im Esszimmer saßen, und habe ihr Haus ausgeraubt. Dann habe ich das Ding in Hoxton gedreht, den Pelzdiebstahl. Es stand viel darüber in den Zeitungen – ich und ein Kollege namens Moses. Er war Israelit», fügte er unnötigerweise hinzu.

The girl nodded.

"But I am going to give it up, though, miss," said Simpson huskily. "I am going to chuck Valentino, and if I owe him seventy pounds, why, I'll pay him out of the money I earn honestly."

"Who is Valentino?"

"He's a fence, miss; you wouldn't know what a fence is. He keeps the 'Bottle and Glass' public-house down Atherby Road, Kennington."

"Poor man," she said, shaking her head. "Poor burglar, I am so sorry for you."

Mr. Simpson choked.

"I think I'll go, miss, if you don't mind."

She nodded and held out her hand.

He took it in his and kissed it. He had seen such things done in the pictures. Yet it was with a lightened heart, and with a knowledge of a great burden of crime and sin rolled away from his conscience that he walked down the stairs, his head erect, charged with a high purpose. He opened the door and walked out literally and figuratively into the arms of Inspector John Coleman, X. Division; Sergeant Arthur John Welby of X. Division; and Detective-Sergeant Charles John Smith, also of X. Division.

"Bless my heart and soul," said the Inspector, "if it isn't Simpson!"

Mr. Simpson said nothing for a moment; then:

"I have been visiting a friend."

"And now you are coming to stay with us. What a week-end you are having!" said Sergeant Smith.

At four o'clock in the morning, Mr. Simpson stirred uneasily on his wooden bed. A voice had disturbed him; it was a loud and an aggressive

Das Mädchen nickte.

«Aber jetzt werde ich es aufgeben, Miss», sagte Simpson mit heiserer Stimme, «und Valentino jage ich zum Teufel, ob ich ihm nun siebzig Pfund schulde oder nicht. Die kann ich dann von meinem ehrlich verdienten Geld zurückzahlen.»

«Wer ist Valentino?»

«Ein Hehler, Miss; sicher wissen Sie nicht, was ein Hehler macht. Er betreibt das ‹Bottle and Glass›, ein Lokal in der Atherby Road in Kennington.»

«Armer Mann», sagte sie kopfschüttelnd. «Armer Einbrecher, Sie tun mir so leid.»

Mr. Simpson schluckte.

«Ich glaube, ich gehe jetzt, Miss, wenn Sie nichts dagegen haben.»

Sie nickte und hielt ihm ihre Hand hin.

Er nahm sie in seine und küsste sie. So hatte er das im Kino gesehen. Dann stieg er leichten Herzens und in dem Gefühl, sein Gewissen um eine schwere Sünden- und Verbrechenslast erleichtert zu haben, die Treppe hinab, das Haupt hoch erhoben und voll der hehren Absichten. Er öffnete die Haustür, trat hinaus und lief Inspektor John Coleman, Sergeant Arthur John Welby und Detective-Sergeant Charles John Smith, allesamt von der Abteilung X, buchstäblich in die Arme.

«Na, so was!», rief der Inspektor. «Wenn das nicht Simpson ist!»

Einen Moment lang fehlten Mr. Simpson die Worte, dann sagte er: «Ich habe einen Freund besucht.»

«Und jetzt kommen Sie mit und besuchen uns. Was für ein Wochenende!», sagte Sergeant Smith.

Um vier Uhr morgens wälzte sich Mr. Simpson unruhig auf seiner Holzpritsche herum. Eine Stimme hatte ihn geweckt, eine laute und aggressive Stimme, die aus dem Flur

voice, and it came from the corridor outside his cell. He heard the click and clash of a turning lock.

"So far as I am concerned," said the voice, "I am a perfectly innocent man, and if any person has made a statement derogatory to my good name I will have the law on him, if there is a law."

"Oh, there's a law all right," said the voice of Detective Smith. "In you go, Valentino," and then the door was slammed.

Mr. Simpson sat up and took notice. Valentino!

The next morning, when he was conducted by the assistant gaoler to perform his ablutions he caught a glimpse of that respectable licensed victualler. It was the merest glimpse, for the grating in the cell-door is not a large one, but he heard Mr. Valentino's exclamation of annoyance, and when he returned, that worthy man hissed at him:

"So you're the nose, are you, Simpson, you dirty dog!"

"Don't say it, Mr. Valentino," said Simpson brokenly, for it hurt him that any man should think him guilty of so despicable an action.

That their crime was associated was proved when they stepped into the dock together, with policemen between them, the constabulary having been inserted for the sake of peace and quietness. Yet, despite his position, Mr. Simpson was by no means depressed. His heart sang a song of joy at his reformation. Perhaps he would see the girl, that angel child, again; that was all he hoped.

Looking round the court eagerly, a wave of joy swept through his being, for he had seen her. That was enough. He would serve whatever sentence was passed, and tears of happiness fell from his

vor seiner Zelle kam. Er hörte, wie sich ein Schlüssel klikkend in einem Schloss drehte.

«Was mich anbelangt – ich bin völlig unschuldig», sagte die Stimme. «Falls irgendjemand etwas gesagt hat, das meinen guten Namen in den Schmutz zieht, werde ich ihn vor Gericht bringen, wenn es eine Rechtsprechung gibt.»

«Oh, die gibt es schon», sagte die Stimme von Detective Smith. «Rein mit Ihnen, Valentino.» Und die Tür fiel ins Schloss.

Mr. Simpson setzte sich auf und spitzte die Ohren. Valentino!

Als er am nächsten Morgen vom Hilfswärter zur Körperpflege geführt wurde, erhaschte er einen Blick auf den hochgeschätzten Schankwirt. Es war nur ein flüchtiger Blick, denn die Gitteröffnung in der Zellentür war nicht sehr groß, doch er hörte Mr. Valentinos Protestgeschrei, und als er zurückkam, zischte der ehrenwerte Mann ihm zu:

«Du hast also gepfiffen, was, Simpson? Du Mistkerl!»

«Sagen Sie das nicht, Mr. Valentino», sagte Simpson mit gebrochener Stimme, denn es verletzte ihn, dass ihn jemand einer so verabscheuungswürdigen Tat verdächtigte.

Dass ihre Verbrechen miteinander in Verbindung gebracht wurden, bestätigte sich, als sie gemeinsam in die Anklagebank traten. Zwischen ihnen standen Beamte, da zur Sicherung von Ruhe und Frieden die Polizei bemüht worden war. Trotz seiner misslichen Lage war Mr. Simpson keineswegs niedergeschlagen. Sein Herz jubilierte ob seiner Läuterung. Vielleicht würde er ja das Mädchen, dieses engelgleiche Kind, wiedersehen; mehr hoffte er nicht.

Als er sich neugierig im Gerichtssaal umschaute, übermannte ihn eine Woge der Freude, denn er hatte sie entdeckt. Das reichte ihm. Er wollte jede Strafe absitzen, zu der man ihn verurteilte. Freudentränen traten ihm in die

eyes and splashed on the steel rail of the dock. The assistant gaoler thoughtfully wiped them off. Rust spots are very difficult to eradicate, unless they are dealt with immediately.

And then to his delight she came forward. A sweet figure of childhood, she seemed, as she stood in the witness stand. Her eyes rested on him for a second and she smiled....

"If you want to cry, cry on the floor!" hissed the assistant gaoler, and rubbed the rail savagely with his handkerchief.

A lawyer rose in the body of the court.

"Your name is Marie Wilson?" he said.

"Yes, sir," she replied in a voice of such pure harmony that a thrill ran through Simpson's system.

"You are professionally known as 'Baby Bellingham'?"

"Yes, sir," said the child.

"And you are at present engaged at the Hilarity Theatre in a play called 'The Child and the Burglar'?"

"Yes, sir," she answered, with a proud glance at the dazzled Simpson.

"And I think I am stating the fact," said the lawyer, "that your experience last night was practically a repetition of the action of your play?"

"Yes, sir," said the child, "except that he wouldn't say his lines. I did try hard to make him."

The magistrate was looking at a paper on his desk.

"I see there is a report of this occurrence in this morning's newspaper," he said, and read the headline: "'Child actress reduces hardened burglar to tears by her artistry.'"

Augen und fielen auf das Stahlgeländer der Anklagebank. Der aufmerksame Hilfswärter wischte sie weg. Rostflecken sind nur schwer zu entfernen, wenn man nicht gleich etwas dagegen unternimmt.

Zu Simpsons Entzücken kam das Mädchen nach vorne. Ganz das liebreizende Bild von einem Kind, betrat es den Zeugenstand. Einen Moment lang ruhten ihre Augen auf ihm und sie lächelte ...

«Wenn Sie heulen wollen, dann gefälligst auf den Boden!», zischte der Hilfswärter und rieb mit seinem Taschentuch grimmig die Stange sauber.

Im Gerichtsgremium erhob sich ein Anwalt.

«Dein Name ist Marie Wilson?», fragte er.

«Ja, Sir», antwortete sie. Der Wohlklang ihrer glockenhellen Stimme ließ Simpson erschauern.

«Auch bekannt unter dem Bühnennamen ‹Baby Bellingham›?»

«Ja, Sir.»

«Und im Moment spielst du im Hilarity Theater in einem Stück mit dem Titel ‹Das Kind und der Einbrecher›?»

«Ja, Sir», erwiderte sie mit einem stolzen Blick auf den verblüfften Simpson.

«Liege ich richtig, wenn ich behaupte, dass dein Erlebnis gestern Nacht praktisch eine Wiederholung deiner Rolle in dem Stück war?»

«Ja, Sir», sagte das Kind. «Nur hat er seinen Text nicht richtig gesprochen. Ich habe mich ehrlich bemüht, es ihm beizubringen.»

Der Richter blickte auf eine Zeitung, die vor ihm auf dem Tisch lag.

«Wie ich sehe, stand schon heute Morgen ein Bericht von dem Vorfall in der Zeitung», sagte er und las die Schlagzeile vor: «‹Kinderstar rührt abgebrühten Einbrecher durch seine Kunst zu Tränen›.»

Miss Wilson nodded gravely.

"After I had gone downstairs to get him his supper and had rung up the police on the telephone," she said, "I also rang up my press agent. My papa says that I must always ring up my press agent. Papa says that two lines on the news page is worth two columns amongst the advertisements. Papa says – "

It was ten months after this when Mr. Simpson and Mr. Valentino met. They were loading coke into a large cart drawn by a famous old blind horse which is the pride of Dartmoor Gaol. The warder in charge of the party was at sufficient distance away to allow a free interchange of courtesies.

"And when I get out," said Mr. Valentino, tremulous with wrath, "I am going to make Kennington too hot to hold you, Simpson. A chicken-hearted fellow like you oughtn't to be in the business. To think that a respectable tradesman should be 'erded with common felons because a babbling, bat-eyed hook gets sloppy over a kid and gives away his friends – an actress too ... stringing you along, you poor turnip! Doin' her play with you as the 'ero! My God, you're a disgrace to the profession!"

But Simpson was standing erect, leaning on his shovel and staring across the yard.

In the angle of two high walls was a mound of loose earth which had been brought in to treat the governor's garden, and on the face of the dun-coloured heap were vivid green shoots tipped with blue; they had come, it seemed, in a night, for this was the month of early spring.

Miss Wilson nickte würdevoll.

«Nachdem ich nach unten gegangen bin, um für ihn das Abendessen zu holen und die Polizei anzurufen», erklärte sie, «habe ich auch mit meinem Presseagenten telefoniert. Papa sagt, dass ich immer den Presseagenten anrufen soll. Papa sagt, dass zwei Zeilen auf der Titelseite so viel wert sind wie zwei Spalten in den Anzeigen. Papa sagt immer ...»

Zehn Monate später begegneten sich Mr. Simpson und Mr. Valentino wieder. Sie luden Kohlen auf einen großen Wagen, der von dem berühmten blinden alten Pferd gezogen wurde, das der Stolz des Gefängnisses von Dartmoor war. Der diensthabende Wachtposten war weit genug entfernt, so dass einem freien Austausch von Höflichkeiten nichts im Wege stand.

«Und wenn ich rauskomme», sagte Mr. Valentino mit vor Zorn bebender Stimme, «werde ich ganz Kennington gegen Sie aufhetzen. Ein Feigling wie Sie hat in unserer Branche nichts zu suchen. Allein die Vorstellung, dass ein ehrbarer Geschäftsmann mit gemeinen Verbrechern zusammengesperrt wird, weil so eine Plaudertasche und Heulsuse von einem Langfinger wegen eines Kindes gefühlsduselig wird und seine Freunde verrät ... und dann noch eine Schauspielerin, die den armen Trottel eingewickelt hat! Spielt ihr Stück mit Ihnen als dem Helden! Meine Güte, Sie sind eine Schande für unseren Berufsstand!»

Doch Simpson stand aufrecht da und blickte auf seine Schaufel gelehnt über den Gefängnishof.

In einer Ecke zwischen zwei hohen Mauern war ein Hügel aus lockerer Erde aufgeschüttet, der für den Garten des Gefängnisdirektors gebracht worden war. Oben auf dem graubraunen Haufen waren leuchtend grüne Halme mit blauen Spitzen zu erkennen; sie mussten über Nacht gesprossen sein, denn es war der erste Frühlingsmonat.

"Bluebells!" quavered Mr. Simpson. His lip trembled and he wiped his eyes with the cuff of his yellow coat.

Bluebells always made Mr. Simpson cry.

«Glockenblumen!», stammelte Mr. Simpson. Seine Lippen zuckten, und er wischte sich mit der Manschette seines gelben Kittels über die Augen.

Glockenblumen brachten Mr. Simpson immer zum Weinen.

White Stockings

I

John Trevor was not a jealous man. He told himself this a dozen times; he told Marjorie Banning only once.

"Jealous!" she flamed, and then gaining control of her anger; "I don't quite understand you. What do you mean by jealous?"

Jack felt and looked uncomfortable.

"Jealous, of course, is a silly word to use, but," he blundered, "what I mean is suspicious – "

He checked himself again.

They were sitting in the Park under an expansive elm, and though not far from the madding crowd, the crowd was sufficiently removed for its madding qualities to be minimised to a negligible quantity. There were within sight exactly three courting couples, a nurse with a perambulator, a policeman, and a few playing children.

"What I mean to say is," said Jack desperately, "I trust you, dear, and – well, I don't want to know your secrets, but – "

"But – ?" she repeated coldly.

"Well, I merely remark that I have seen you three times driving in a swagger motor-car – "

"A client's car," she said quietly.

"But surely the dressing of people's hair does not occupy all the afternoon and evening," he persisted. "Really, I'm awfully sorry if I'm bothering you, but it is a fact that whenever I've seen you it has been on the days when you have told me you could not come to me in the evening."

She did not answer immediately.

Weiße Fesseln

I

John Trevor war nicht eifersüchtig. Dutzende Male sagte er das zu sich selbst; zu Marjorie Banning sagte er es nur einmal.

«Eifersüchtig!», brauste sie auf. «Ich verstehe dich nicht», fügte sie hinzu, nachdem sie sich beruhigt hatte, «was meinst du mit eifersüchtig?»

Jack fühlte sich sichtlich nicht wohl in seiner Haut.

«Eifersüchtig ist natürlich ein dummes Wort», stammelte er, «ich meine eher misstrauisch ...»

Er hielt wieder inne.

Sie saßen unter der ausladenden Krone einer Ulme im Hyde Park, zwar nicht weit vom Getümmel der Welt entfernt, aber immerhin weit genug, um dieses Getümmel als nicht mehr besonders störend zu empfinden. In Sichtweite befanden sich genau drei Liebespaare, ein Kindermädchen mit Kinderwagen, ein Polizist und ein paar spielende Kinder.

«Ich wollte nur sagen», stammelte Jack verzweifelt, «dass ich dir vertraue, Schatz, und ... na ja, ich will deine Geheimnisse nicht wissen, aber ...»

«Aber ...?», wiederholte sie kühl.

«Na ja, ich wollte nur sagen, dass ich dich dreimal in einem tollen Schlitten gesehen habe ...»

«Das Auto eines Kunden», erwiderte sie ruhig.

«Aber sicher braucht man nicht einen ganzen Nachmittag und Abend, um jemandem das Haar zu machen», fuhr er hartnäckig fort. «Wirklich, es tut mir leid, wenn ich dich verärgere, aber es ist nun mal so, dass ich dich immer an den Tagen gesehen habe, an denen du mir gesagt hast, dass du abends keine Zeit für mich hast.»

Darauf antwortete sie erst einmal nicht.

He was making it very hard for her, and she resented, bitterly resented, not only his doubt and the knowledge that in his eyes her movements were suspicious, but that she could offer no explanation. She resented most of all the justification which her silence gave to him.

"Who has been putting these ideas in your head?" she asked. "Lennox Mayne?"

"Lennox!" he snorted. "How ridiculous you are, Marjorie! Lennox would not dream of saying anything against you, to me or anybody else. Lennox is very fond of you – why, Lennox introduced me to you."

She bit her lips thoughtfully. She had excellent reasons for knowing that Lennox was very fond of her, fond in the way that Lennox had been of so many chance-met shop-girls, and that she also was a shop-girl brought that young man's admiration into a too familiar category.

She was employed at a great West-End hairdresser's, and hated the work; indeed hated the work more than the necessity for working. Her father, a small provincial doctor, had died a few years before, leaving her and her mother penniless. A friend of the family had known the proprietor of Fennett's, and old Fennett was in need of a secretary. She had come to what Lennox Mayne crudely described as the "woman's barbers" in that capacity. From secretary she had passed to a more practical side of the business, for the old man, a master of his craft, had initiated her into the mysteries of "colour culture" – an artless euphonism.

"I'm awfully sorry that I've annoyed you," she said primly as she got up, "but we shop-girls have our duties, Jack."

Er machte es ihr sehr schwer, und sie ärgerte sich, ärgerte sich sogar ganz fürchterlich; nicht nur weil er ihr misstraute und sie wusste, dass ihr Handeln in seinen Augen verdächtig wirken musste, sondern auch weil sie ihm keine Erklärung bieten konnte. Am meisten ärgerte sie jedoch, dass ihr Schweigen ihm Recht zu geben schien.

«Wer hat dir nur solche Flausen in den Kopf gesetzt?», fragte sie. «Lennox Mayne?»

«Lennox!», schnaubte er. «Du bist wirklich lächerlich, Marjorie! Lennox würde nicht im Traum daran denken, mir oder irgendjemand anderem gegenüber Schlechtes über dich zu sagen. Lennox mag dich sehr gern – hör mal, er hat uns miteinander bekannt gemacht.»

Nachdenklich biss sie sich auf die Lippen. Sie wusste nur zu gut, dass Lennox sie sehr gern mochte, so wie er schon viele Zufallsbekanntschaften unter Londons Ladenmädchen gemocht hatte, und weil auch sie ein Ladenmädchen war, hatte diese Bewunderung des jungen Mannes etwas zu Gewöhnliches gehabt.

Sie war in einem großen Friseursalon im Westend angestellt und hasste ihre Arbeit; sie hasste die Arbeit sogar mehr als den Umstand, dass sie überhaupt arbeiten musste. Ihr Vater, ein kleiner Landarzt, war wenige Jahre zuvor gestorben und hatte ihre Mutter und sie ohne einen Penny zurückgelassen. Ein Freund der Familie kannte den Inhaber des Salons Fennett, den alten Fennett, der eine Sekretärin suchte. In dieser Stellung hatte sie bei dem, wie Lennox Mayne ihn abschätzig nannte, «Damenfriseur» angefangen. Von der Sekretärin hatte sie in einen eher praktischen Geschäftsbereich gewechselt, denn der alte Herr, ein Meister seines Fachs, hatte sie in die Geheimnisse der «Farbkultur» eingeweiht – wie er es etwas phantasielos umschrieb.

«Es tut mir schrecklich leid, dass ich dich verärgert habe», sagte sie steif und erhob sich. «Aber wir Ladenmädchen haben unsere Pflichten, Jack.»

"For Heaven's sake don't call yourself a shop-girl," he snapped. "Of course, dear, I quite accept your explanation, only why make a mystery of it?"

Suddenly she slipped her arm in his.

"Because I am paid to make a mystery of it," she said, with a smile. "Now take me to Fragiana's, for I'm starving."

Over the meal they returned to the subject of Lennox.

"I know you don't like him," said Jack. "He really is a good fellow, and what is more, he is very useful to me, and I cannot afford to lose useful friends. We were at Rugby together, but, of course, he was always a smarter chap than I. He has made a fortune, while I am struggling to get together the necessary thousand that will enable me to introduce you to the dinkiest little suburban home – "

She put her hand under the table and squeezed his.

"You're a darling," she said, "but I hope you will never make your money as Lennox has made his."

He protested indignantly, but she went on, with a shake of her head:

"We hear queer stories, we dyers of ladies' faded locks," she said, "and Lennox is awfully well known in London as a man who lives by his wits."

"But his uncle – " he began.

"His uncle is very rich, but hates Lennox. Everybody says so."

"That is where you're wrong," said Jack triumphantly. "They have been bad friends, but now they are reconciled. I was dining with Lennox last night, when you were gadding around in your expensive motor-car – I didn't mean that unpleas-

«Um Himmels willen, bezeichne dich bitte nicht als Ladenmädchen», fuhr er sie an. «Natürlich akzeptiere ich deine Erklärung, Schatz, aber warum machst du so ein Geheimnis daraus?»

Sie hakte sich unversehens bei ihm unter.

«Weil ich dafür bezahlt werde», sagte sie lächelnd. «Komm, führ mich ins ‹Fragiana› aus, ich sterbe vor Hunger.»

Beim Essen kamen sie wieder auf Lennox zu sprechen.

«Ich weiß, dass du ihn nicht leiden kannst», sagte Jack, «aber er ist wirklich ein guter Kerl. Vor allem ist er mir sehr nützlich, und ich kann es mir nicht leisten, nützliche Freunde zu verlieren. Wir sind zusammen in Rugby zur Schule gegangen, aber natürlich war er immer schlauer als ich. Er hat ein Vermögen gemacht, während ich mich abrackere, um die Tausend zusammenzubringen, die ich brauche, um dir ein ganz bescheidenes kleines Vorstadthaus bieten zu können …»

Sie drückte ihm unterm Tisch die Hand.

«Du bist ein Schatz», sagte sie, «aber ich hoffe, dass du dein Geld nie so verdienen wirst wie Lennox.»

Ungehalten wollte er widersprechen, doch sie redete mit einem Kopfschütteln weiter: «Wir hören seltsame Geschichten, wenn wir die welken Locken alter Damen farblich auffrischen», sagte sie. «Lennox ist in ganz London dafür berüchtigt, dass er sich nur mehr oder weniger redlich durchs Leben schlägt.»

«Aber sein Onkel …», hob er an.

«Sein Onkel ist sehr reich, aber er hasst Lennox. Das sagen alle.»

«Da irrst du dich aber», erwiderte Jack triumphierend. «Sie waren zerstritten, aber jetzt haben sie sich wieder versöhnt. Ich habe gestern mit Lennox zu Abend gegessen, als du in diesem teuren Karren unterwegs warst – das war jetzt nicht bös gemeint, Schatz –, wie gesagt, ich habe

antly, dear – anyway I was dining with him, and he told me that the old man was most friendly now. And what is more," he lowered his voice confidentially, "he is putting me in the way of making a fortune."

"Lennox?" said the girl incredulously and shook her head. "I can imagine Lennox making a fortune for himself, or even dazzling unsophisticated maidens with golden prospects, but I cannot imagine him making a fortune for you."

He laughed.

"Has he ever tried to dazzle you with golden prospects?" he bantered, but she avoided the question.

She and Lennox Mayne had met at the house of a mutual friend, and then they had met again in the Park, as she and Jack were meeting, and Lennox had discovered a future for her which had certain material advantages and definite spiritual drawbacks. And then one Sunday, when he had taken her on the river, they had met Jack Trevor, and she had found it increasingly easy to hold at bay the philanthropist.

They strolled back to the Park as the dusk was falling, and entering the Marble Arch gate they passed an untidy, horsey little man, who touched his hat to Jack and grinned broadly.

"That is Willie Jeans," said Jack, with a smile. "His father was our groom in the old Royston days. I wonder what he is doing in London?"

"What is he?" she asked curiously.

"He is a tout."

"A tout?"

"Yes; a tout is a man who watches racehorses.

mit ihm zusammen gegessen und er hat mir erzählt, dass der Alte jetzt ausgesprochen freundlich sei. «Aber vor allem», hier ging er in ein vertrauliches Flüstern über, «will er mir zu einem Vermögen verhelfen.»

«Lennox?», sagte die junge Frau mit einem ungläubigen Kopfschütteln. «Ich kann mir vorstellen, dass Lennox sich selbst zu einem Vermögen verhilft oder naiven Mädchen mit schönen Versprechungen den Kopf verdreht, aber dass er dich reich macht, kann ich mir nicht vorstellen.»

Er lachte.

«Hat er dir auch schon mit schönen Versprechungen den Kopf verdrehen wollen?», neckte er sie, doch sie wich der Frage aus.

Sie hatte Lennox Mayne im Haus von gemeinsamen Freunden kennengelernt und sich danach mit ihm wie jetzt mit Jack im Park getroffen. Lennox hatte ihr eine Zukunft ausgemalt, die zwar materiell durchaus golden war, moralisch aber eindeutig ihre Schattenseiten hatte. Als sie dann bei einem Sonntagsspaziergang am Fluss Jack Trevor begegnet waren, fiel es ihr plötzlich äußerst leicht, sich den Menschenfreund vom Leibe zu halten.

In der Abenddämmerung spazierten sie zum Park zurück. Als sie durch den Marble Arch traten, begegneten sie einem nachlässig gekleideten kleinen Mann, dem der regelmäßige Umgang mit Pferden anzusehen war. Er grüßte John mit einem breiten Grinsen.

«Das ist Willie Jeans», sagte John lächelnd. «Sein Vater war damals in Royston unser Stallbursche. Ich frage mich, was er in London zu tun hat?»

«Was macht er?», fragte sie neugierig.

«Er ist Spion.»

«Spion?»

«Ja. Er spioniert Rennpferde aus, indem er sie beim

Willie is a very clever watcher. He works for one of the sporting papers, and I believe makes quite a lot of money."

"How queer!" she said and laughed.

"What amuses you?" he asked in surprise, but she did not tell him.

II

The man who sprawled motionless along the top of the wall had certain strange, chameleon-like characteristics. His mottled green coat and his dingy yellow breeches and gaiters so completely harmonised with the ancient wall and its over-hanging trees, that nine passers-by out of ten would have failed to notice him. Happily for his peace of mind, there were no passers-by, the hour being seven o' clock on a sunny May morning: His elbows were propped on a patch of crumbling mortar, a pair of prismatic glasses were glued to his eyes, and on his face was a painful grimace of concentrated attention.

For twenty minutes he had waited in this atti-tude, and the stout man who sat in the car drawn up some distance along the road sighed patiently: He turned his head as he heard the descent of the watcher.

"Finished?" he asked.

"Huh," replied the other.

The stout man sighed again and set the rattling machine running toward the village.

Not until they were on the outskirts of Baldock did the dingy watcher regain his speech.

"Yamen's lame," he said.

Training beobachtet und dann Wetttipps gibt. Willie ist ein sehr guter Beobachter. Er arbeitet für eine Sportzeitschrift, und ich glaube, er verdient richtig viel Geld.»

«Wirklich komisch!», sagte sie und lachte.

«Was findest du daran komisch?», fragte er überrascht, doch sie verriet es ihm nicht.

II

Der Mann, der reglos hoch oben auf der Mauer kauerte, hatte auf seltsame Weise etwas von einem Chamäleon. Sein fleckiger grüner Mantel und die schmuddelige gelbe Reithose harmonierten so wunderbar mit der alten Mauer und den darüberhängenden Ästen, dass neun von zehn Passanten ihn nicht bemerkt hätten. Doch da es sieben Uhr in der Früh an einem sonnigen Maimorgen war, gab es keine Passanten, was seiner Meinung nach auch besser war. Er stützte die Ellenbogen auf ein bröckelndes Mörtelstück und hielt ein Fernglas fest an die Augen gedrückt. Sein Gesicht war zu einem Ausdruck äußerster Konzentration verzogen.

Schon seit zwanzig Minuten verharrte er in dieser Stellung, und der korpulente Mann in dem Auto, das etwas weiter entfernt am Straßenrand parkte, seufzte geduldig. Als er den Beobachter die Mauer hinunter klettern hörte, schaute er sich um.

«Fertig?», fragte er.

«Haha», erwiderte der andere.

Der Korpulente seufzte erneut, ließ das klapprige Auto an und fuhr in Richtung Dorf.

Erst als sie die ersten Häuser von Baldock erreichten, fand der schmuddelige Beobachter seine Sprache wieder.

«Yamen lahmt», sagte er.

The stout man, in his agitation, nearly drove the car on to the sidewalk.

"Lame?" he repeated incredulously.

Willie nodded.

"He went lame when the gallop was half-way through," he said. "He'll win no Derby."

The fat man breathed heavily.

They were brothers, Willie the younger, and Paul the elder, though there was no greater family resemblance between the pair than there is between a rat and a comfortable hen.

The car jerked to a stop before the Baldock Post Office, and Willie got out thoughtfully. He stood for some time meditating upon the broad pavement, scratching his chin and exhibiting unexpected signs of indecision. Presently he climbed back into the car.

"Let's go down to the garage and get some juice on board," he said.

"Why?" asked the astounded brother. "I thought you were going to wire – "

"Never mind what you thought," said the other impatiently; "go and load up with petrol. You can take me to London. The post office won't be open for half an hour."

His stout relation uttered gurgling noises intended to convey his astonishment and annoyance.

As the rattling car came back to the Stevenage Road, Willie condescended to explain.

"If I send a wire from here, it will be all over the town in a few minutes," he said libellously. "You know what these little places are, and Mr. Mayne would never forgive me."

Lennox Mayne was the principal source of the tout's income. Though he had a few other clients,

98

Der Korpulente wäre vor Schreck beinahe auf den Gehweg gefahren.

«Er lahmt?», wiederholte er ungläubig.

Willie nickte.

«Auf der Hälfte der Galoppstrecke hat er zu lahmen begonnen», sagte er. «Der gewinnt kein Derby mehr.»

Der Dicke schnaufte.

Sie waren Brüder, Willie der jüngere und Paul der ältere, allerdings war die Familienähnlichkeit zwischen ihnen ungefähr so groß wie die zwischen einer Ratte und einer gemütlichen Glucke.

Vor dem Postamt von Baldock blieb das Auto ruckartig stehen und Willie stieg nachdenklich aus. Eine Weile starrte er gedankenverloren über das breite Pflaster, kratzte sich am Kinn und wirkte ungewöhnlich unentschlossen. Dann kletterte er ins Auto zurück.

«Komm, wir fahren zur Tankstelle und füllen Sprit nach», sagte er.

«Warum?», fragte sein Bruder erstaunt. «Ich dachte, du wolltest ein Telegramm ...»

«Verschone mich mit deinen Gedanken», sagte der andere ungeduldig, «los, fahr tanken. Du kannst mich nach London bringen. Die Post macht erst in einer halben Stunde auf.»

Sein fülliger Verwandter gab glucksende Geräusche von sich, mit denen er sein Erstaunen und Missfallen zum Ausdruck bringen wollte.

Als das klapprige Auto wieder auf die Stevenage Road bog, ließ Willie sich zu einer Erklärung herab.

«Wenn ich von hier ein Telegramm schicke, weiß es in wenigen Minuten der ganze Ort», sagte er verächtlich. «Du weißt doch, wie das in so kleinen Nestern ist. Mr. Mayne würde mir das nie verzeihen.»

Von Lennox Mayne bezog der Spion einen Großteil seiner Einkünfte. Obwohl er noch ein paar andere Kunden

Willie Jeans depended chiefly upon the honorarium which he received from his opulent patron.

Mr. Jeans' profession was a curious one. He was what is described in the sporting press as "a man of observation," and he had his headquarters at Newmarket. But there are great racing establishments outside of the headquarters of the turf, and when his chief patron required information which could not be otherwise secured, Mr. Jeans travelled afar to the Wiltshire Downs, to Epsom, and elsewhere, in order to gain at first hand knowledge of certain horses' well-being.

"It was a bit of luck," he mused as he went along, "I don't suppose there is another man in England who could have touted old Greyman's horses. He usually has half a dozen men patrolling along the road to see that nobody sneaks over the wall."

Stuart Greyman owned a large estate on the Royston Road, which was peculiarly adapted for so furtive and secretive a man, for a high wall surrounded the big park wherein his horses were trained, and his staff was loyalty itself.

From other stables it is possible to secure valuable information through the judicious acquaintance of a stable-lad, but Greyman either paid his staff too well to allow of that kind of leakage, or he showed a remarkable discrimination in employing his servants. And in consequence the old man was something of a terror to the ring. He produced unexpected winners, and so well kept was his secret that until the race was over, and the money began to roll back from the starting-price offices, there was not the slightest hint that the victor was "expected." In consequence, he enjoyed the luxury of long prices, and every attempt that had been made

hatte, war Willie Jeans vor allem auf das Honorar seines wohlhabenden Gönners angewiesen.

Mr. Jeans übte einen eigenartigen Beruf aus, der in der Sportpresse mit «Beobachter» umschrieben wurde. Sein Hauptquartier befand sich in Newmarket, doch auch außerhalb der Pferdesportzentren gab es große Rennställe, und wenn sein Hauptgönner Informationen brauchte, die anders nicht zu beschaffen waren, reiste Mr. Jeans bis in die Wiltshire Downs, nach Epsom und an andere Orte, um sich aus erster Hand über das Wohlergehen gewisser Pferde kundig zu machen.

«Das war schon Glück», überlegte er unterwegs laut. «Vermutlich gibt es außer mir niemanden in England, der die Pferde des alten Greyman ausspionieren könnte. Normalerweise lässt er ein halbes Dutzend Männer die Straße entlang patrouillieren, um sicherzugehen, dass sich niemand über die Mauer schleicht.»

Stuart Greyman besaß ein großes Landgut an der Straße nach Royston, das sich für diesen geheimniskrämerischen Herrn besonders eignete, da eine hohe Mauer den riesigen Park, in dem die Pferde trainiert wurden, umgab. Sein Personal war absolut loyal.

In anderen Ställen konnte man durch schlau eingefädelte Bekanntschaften mit Stallburschen an wertvolle Informationen kommen, doch entweder bezahlte Greyman seine Leute zu gut oder er hatte eine besonders geschickte Hand bei der Auswahl seines Personals, denn bei ihm gab es keine undichten Stellen. Der alte Herr war deshalb zum Schrecken der Buchmacher geworden. Seine Pferde siegten überraschend, denn sein Geheimnis wurde bis zum Ende des Rennens, wenn das Geld von den Wettbüros zurückzufließen begann, so streng gehütet, dass es vorher nicht den leisesten Hinweis darauf gab, dass mit einem Sieg zu rechnen war. Infolgedessen genoss er den Vorteil hoher Preise, und

to tout his horses had hitherto been unsuccessful.

Willie's gratification was, therefore, natural and his success a little short of miraculous.

The dust-stained car came to a stop in a decorous London square, and an outraged butler who answered the door hesitated for some considerable time before he announced the visitors.

Lennox Mayne was at breakfast, a sleek-looking young man, who was less disconcerted than his butler at the spectacle of the untidy Mr. Jeans.

"Sit down," he said curtly; and when the visitors obeyed and the butler had closed the door – "Well?"

Willie poured forth his story, and Lennox Mayne listened with a thoughtful frown.

"The old devil!" he said softly, and not without admiration; "the wicked old devil!"

Willie agreed on principle that Stuart Greyman was all and more than his loving nephew had described him, but was puzzled to know why Mr. Greyman was more particularly devilish that morning than any other.

Lennox sat for a moment deep in thought, and then –

"Now, Jeans, you understand that this is a secret. Not a whisper of Yamen's lameness must leak out. I might tell you that ten minutes ago my uncle rang me up from Baldock to say that he had galloped Yamen and he had pulled up fit."

"What!" said the indignant Willie. "Why, that horse is as lame – "

"I don't doubt it," interrupted his employer,

bisher war jeder Versuch, seine Pferde auszuspionieren, gescheitert.

Willies Genugtuung war deshalb berechtigt; sein Erfolg grenzte fast an ein Wunder.

Das staubige Auto hielt an einem Platz in einer vornehmen Londoner Gegend, und der empörte Butler an der Tür zögerte empfindlich lange, bevor er die Besucher ankündigte.

Lennox Mayne saß gerade beim Frühstück. Der gepflegte junge Mann ließ sich durch den Anblick des nachlässig gekleideten Mr. Jeans weniger aus der Fassung bringen als sein Butler.

«Setzen Sie sich», sagte er kurz angebunden. Nachdem seine Gäste gehorcht und der Butler die Tür hinter sich geschlossen hatte, fragte er: «Also?»

Willie erzählte seine Geschichte, der Lennox Mayne mit nachdenklich gerunzelter Stirn lauschte.

«Dieser alte Schurke!», sagte er leise und nicht ohne eine Spur von Bewunderung. «Dieser niederträchtige alte Schurke!»

Im Prinzip schloss sich Willie der Meinung, die der liebende Neffe über Stuart Greyman äußerte, unbedingt an, nur wunderte es ihn, dass er an diesem Morgen noch schurkischer sein sollte als sonst.

Einen Moment lang saß Lennox in Gedanken versunken da.

«Gut, Jeans. Es ist Ihnen klar, dass die Sache vertraulich ist. Es darf nichts davon an die Öffentlichkeit dringen, dass Yamen lahmt. Vielleicht sollte ich Ihnen sagen, dass mein Onkel vor zehn Minuten aus Baldock angerufen hat, um mir mitzuteilen, dass er Yamen habe laufen lassen und der sich in bester Verfassung gezeigt habe.»

«Was!», erwiderte Willie entrüstet. «Aber das Pferd ist so lahm wie ...»

«Das bezweifle ich gar nicht», unterbrach ihn sein Ar-

"but Mr. Greyman has a good reason for putting it about that Yamen is sound. He has heavily backed the horse to win the Derby, and he wants time to save his money. What other horses were in the gallop?"

"I don't know his horses very well," explained Willie, "but the colt that made all the running was a smasher, if ever there was one. He simply carried the rest of the horses off their feet. I couldn't put the clock on him, but I know they were going a racing gallop."

"You're sure it was Yamen that pulled up lame?"

"Sure, sir," said the other emphatically. "I saw him run at Ascot and at Newmarket last year, and there is no mistaking his white legs. You don't often see a brown horse with four white stockings."

The other meditated.

"What kind of a horse was it that won the gallop?"

"He was brown all over, not a speck of white on him."

"H'm," mused Mr. Mayne; "that must be Fairyland. I must remember him. Thank you for coming," he said, as he dismissed his visitors with a nod, "and remember – "

"Mum's the word," said Willie as he folded up the two banknotes which his employer had pushed across the table.

Left alone, Mr. Lennox Mayne did some quick, intensive thinking. He had in his mind no thought of blaming his uncle. Lennox Mayne could not afford to condemn trickery or treachery in others, for he had not amassed a comfortable fortune by paying too strict an attention to the niceties of any known code of conduct. He was a gambler, and a successful gambler. He gambled on stocks, on

beitgeber, «aber Mr. Greyman verbreitet aus gutem Grund das Gerücht, Yamen sei gesund und munter. Er hat eine hohe Summe auf den Derbysieg des Pferdes gesetzt und spielt auf Zeit, um sein Geld zu retten. Welche anderen Pferde waren beim Galopp?»

«Ich kenne seine Pferde nicht sehr gut», erklärte Willie, «aber der junge Gaul, der das Tempo angegeben hat, war eine echte Wucht. Der hat die anderen ganz schön auf Trab gehalten. Ich konnte die Zeit zwar nicht stoppen, aber es war bestimmt ein Renngalopp.»

«Und Sie sind sich sicher, dass es Yamen war, der zu lahmen begann?»

«Ganz sicher, Sir», sagte Willie mit Nachdruck. «Ich habe ihn letztes Jahr in Ascot und Newmarket laufen sehen, seine weißen Beine sind nicht zu verwechseln. Ein braunes Pferd mit vier weißen Fesseln sieht man nur selten.»

Sein Gegenüber dachte nach.

«Wie sah das Pferd aus, das den Galopp gewann?»

«Es war vollkommen braun und hatte nicht einen weißen Flecken am Körper.»

«Hm», grübelte Mr. Mayne, «das muss Fairyland gewesen sein. Den muss ich mir merken. Danke, dass Sie vorbeigekommen sind», sagte er und entließ seine Besucher mit einem Kopfnicken. «Und bitte denken Sie daran ... »

«Ich schweige wie ein Grab», sagte Willie und faltete die beiden Geldscheine zusammen, die sein Arbeitgeber über den Tisch geschoben hatte.

Als er wieder allein war, dachte Mr. Lennox Mayne scharf und angestrengt nach. Er machte seinem Onkel keine Vorwürfe, denn es stand ihm nicht zu, Lug und Betrug bei anderen zu verurteilen. Schließlich hatte auch er sein beträchtliches Vermögen nicht angehäuft, indem er sich besonders streng an die Feinheiten der Etikette hielt. Lennox Mayne war ein Spieler, und zwar ein erfolgreicher Spieler. Er setzte auf Aktien und Pferde, doch am erfolgreichsten

horses, but in the main his success was due to backing and laying against human beings. In this latter respect he had made two *faux pas*. He had gambled not only upon the tolerance but upon the inferior intelligence of his maternal uncle, Stuart Greyman. He had used information given to him in secret by that reticent man, and to his consternation had been detected, and there had been an estrangement which had lasted five years, and had apparently ended when old Greyman met him one day at lunch at the Carlton Grill and had gruffly notified his forgiveness.

"The old devil!" he murmured admiringly; "he nearly sold me."

For old Greyman had told him, again in confidence, to back Yamen for the Derby.

Lennox Mayne trusted no man, least of all the uncle whom he suspected of harbouring a grudge against him. Therefore had he sent his tout to confirm the exalted story of the dark Yamen's amazing speed. Yamen had only run twice as a two-year-old. He had been carefully nursed for his classic engagements, and at least the story which the old man had told was plausible.

So the old man was trying to catch him! Luckily, Lennox had not wagered a penny on the information which his uncle had brought him.

If Greyman had been one of his failures, no less had Marjorie Banning. There were times when Lennox Mayne irritably admitted that she had been the greatest failure of all. She had seemed so easy. She was just so circumstanced that the way seemed simple.

It was a coincidence that, as his mind dwelt

war er, wenn er mit Menschen spielte. Auf diesem Gebiet hatte er zwei Niederlagen einstecken müssen. Er hatte sich nicht nur auf die Großzügigkeit von Stuart Greyman verlassen, seinem Onkel mütterlicherseits, sondern auch darauf, dass dieser ihm an Intelligenz unterlegen war. Fünf Jahre lang waren sie zerstritten gewesen, weil Lennox Mayne vertrauliche Informationen des verschwiegenen Mannes zu seinem Vorteil missbraucht hatte und dieser ihm zu seiner Verblüffung auf die Schliche gekommen war. Als der alte Greyman ihm bei einem gemeinsamen Lunch im Carlton Grill in seiner schroffen Art Vergebung signalisiert hatte, schien die Sache aus der Welt zu sein.

«Dieser alte Schurke!», murmelte er voller Bewunderung, «beinahe hätte er mich reingelegt.»

Denn der alte Greyman hatte ihm – wieder unter dem Siegel der Verschwiegenheit – geraten, beim Derby auf Yamen zu setzen.

Lennox Mayne vertraute niemandem, am wenigsten seinem Onkel, der vermutlich immer noch böse auf ihn war. Deshalb hatte er seinen Spion losgeschickt, der die wunderbare Geschichte von der erstaunlichen Schnelligkeit des auf der Rennbahn noch unbekannten Yamen überprüfen sollte. Als Zweijähriger war Yamen nur zwei Rennen gelaufen. Für die Turfkarriere war er sorgfältig vorbereitet worden, was die Geschichte des Alten immerhin plausibel machte.

Der Alte wollte ihm also eins auswischen! Zum Glück hatte Lennox keinen Penny auf den Tipp seines Onkels gegeben.

War Greyman ein Reinfall gewesen, so war es Marjorie Banning erst recht: Es gab sogar Zeiten, in denen sich Lennox Mayne missmutig eingestand, dass die Geschichte mit ihr der größte Reinfall überhaupt war. Dabei hatte sie so unkompliziert gewirkt. Angesichts ihrer persönlichen Situation hatte er damit gerechnet, leichtes Spiel mit ihr zu haben.

Ausgerechnet in dem Moment, als er an sie dachte,

upon her, the telephone bell rang shrilly and the voice of John Trevor greeted him.

He heard the name and made a wry face, but his voice was pleasant enough.

"Hullo, Jack! Certainly come round. Aren't you working to-day? ... Good."

He hung up the receiver and returned to his table. Jack Trevor! His eyes narrowed. He had not forgiven this innocent friend of his, and for ten minutes his mind was very busy.

Jack had a fairly good post in a city office, and just at that time the rubber trade was one of England's decaying industries, and his time was very much his own.

Lennox received him in his study, and pushed a silver box of cigarettes toward his visitor.

"What brings you west at this hour?" he asked. "You'll stay to lunch?"

Jack shook his head.

"The fact is," he blurted, "I'm a bit worried, Lennox. It is about Marjorie."

Lennox raised his eyebrows.

"What has Marjorie been doing?" he asked. "Does she want to turn your hair a flaming gold?"

Jack smiled.

"Not so bad as that," he said; "but I know you are very fond of Marjorie. Lennox, you're a man of the world, whose advice is worth having, and – the fact is, I am worried like the devil about her." He was silent for a long time, and Lennox watched him curiously. "Either she has a mysterious friend or she has a mysterious job," said Jack at last. "Four times she has passed me in the street, in a most swagger car."

"Alone?"

Jack nodded.

"Perhaps she was going to see a client," suggested

schrillte das Telefon, und es meldete sich die Stimme von John Trevor.

Als er den Namen hörte, verzog er ärgerlich das Gesicht, sprach aber in freundlichem Ton.

«Hallo, Jack! Sicher, komm vorbei. Musst du heute nicht arbeiten? ... Gut.»

Er legte den Hörer auf und ging zurück an den Tisch. Jack Trevor! Seine Augen wurden zu Schlitzen. Er hatte seinem arglosen Freund nicht vergeben und dachte die nächsten zehn Minuten lang fieberhaft nach.

Jack bekleidete eine recht gute Stellung in einem Büro in der Stadt, doch da es momentan in England um den Gummihandel schlecht bestellt war, hatte er sehr viel Freizeit.

Lennox empfing ihn in seinem Arbeitszimmer und schob seinem Gast eine silberne Zigarettendose hin.

«Was führt dich zu dieser Tageszeit in den Westen?», fragte er. «Bleibst du zum Lunch?»

Jack schüttelte den Kopf.

«Weißt du», platzte er heraus, «ich mache mir Sorgen, Lennox. Wegen Marjorie.»

Lennox zog die Augenbrauen hoch.

«Was ist mit Marjorie?», fragte er. «Will sie dir die Haare leuchtend gold färben?»

Jack lächelte.

«Nein, so schlimm ist es nicht», sagte er, «aber ich weiß, dass du Marjorie sehr magst. Lennox, du bist ein Mann von Welt, bei dem man sich gern einen Rat holt, und, na ja, sie macht mir wirklich Sorgen.» Ein langes Schweigen trat ein und Lennox betrachtete ihn neugierig. «Entweder hat sie einen geheimen Freund oder eine geheime Arbeit», fuhr Jack schließlich fort. «Sie ist viermal in einem Auto an mir vorbeigefahren. In einem sehr schicken Auto.»

«Allein?»

Jack nickte.

«Vielleicht ist sie ja zu einer Kundin gefahren», meinte

the other carelessly. "You know, even women who own luxurious motor-cars need the service of a trained perruquier."

"Even females who own luxurious motor-cars do not require the services of a perruquier from three in the afternoon until eleven at night," said Jack grimly; "and that is the time Marjorie has returned to her diggings. I know it was hateful to spy on her, but that is just what I've done. She is getting a lot of money. I had a chat with her landlady. I called in on the pretence that I had called in to see Marjorie, and got her to talk about her, she told me that she changed a hundred-pound cheque for her."

"H'm," said Lennox. He was as puzzled as his friend. His agile brain was busy, and presently he said:

"There is certain to be a simple explanation, my dear chap, so don't worry. Marjorie is not flighty, whatever else she is. When are you going to get married?"

Jack shrugged his shoulders.

"Heaven knows," he said. "It is all very well for you to talk about marriage, because you're a rich man, but for me it means another twelve months of saving."

"Have you fixed the sum on which you can get married?" asked Lennox, with a smile.

"A thousand pounds," replied Jack, "and I've got about six hundred towards it."

"Then, my dear chap, I'll put you in the way of getting not a thousand, but ten thousand."

Jack stared at him.

"What the dickens are you talking about?"

"I'm talking about the dark Yamen," said Lennox, "my uncle's horse. I told you the other day that I would make your fortune – I am going to do it."

der andere gleichgültig. «Weißt du, selbst Frauen mit Luxusautos brauchen die Dienste einer erfahrenen Haarkünstlerin.»

«Selbst Frauen mit Luxusautos beanspruchen die Dienste einer Haarkünstlerin nicht von drei Uhr nachmittags bis elf Uhr nachts», erwiderte Jack finster. «Denn um die Zeit ist Marjorie nach Hause gekommen. Ich weiß, es war hässlich, hinter ihr herzuspionieren, aber genau das habe ich gemacht. Sie verdient viel Geld. Ich habe mich mit ihrer Vermieterin unterhalten. Unter dem Vorwand, ich wolle zu Marjorie, habe ich dort vorbeigeschaut und ein Gespräch über Marjorie angefangen. Die Frau erzählte mir, dass sie ihr einen Scheck über hundert Pfund gewechselt hat.»

«Hhm», sagte Lennox. Er war genauso verblüfft wie sein Freund, und sein flinker Verstand arbeitete auf Hochtouren.

«Mein lieber Junge», meinte er schließlich, «mach dir keine Sorgen, sicher wird es eine einfache Erklärung geben. Was immer man ihr vorwerfen mag, flatterhaft ist Marjorie nicht. Wann werdet ihr heiraten?»

Jack zuckte die Schultern.

«Das weiß der Himmel», sagte er. «Du hast gut reden, weil du reich bist, aber für mich bedeutet Heiraten noch weitere zwölf Monate sparen.»

«Hast du dir eine Summe gesetzt, bei der du heiraten kannst?», fragte Lennox lächelnd.

«Eintausend Pfund», erwiderte Jack, «und ungefähr sechshundert habe ich schon.»

«Dann, mein lieber Freund, werde in dir dazu verhelfen, nicht tausend, sondern zehntausend zu kriegen.»

Jack starrte ihn an.

«Was zum Teufel redest du da?»

«Ich rede über den unbekannten Yamen», sagte Lennox, «ein Pferd meines Onkels. Habe ich nicht vor kurzem gesagt, dass ich dich reich mache – ich werde mein Wort halten.»

He got up, went to a table, and took up the morning paper, turning its pages.

"Here is the betting," he said. "One hundred to six Yamen – and Yamen is as certain to win the Derby as you are to marry your nice little girl. I can get you ten thousand to six hundred to-day – to-morrow the price may be shorter."

"Good lord! I couldn't lose six hundred pounds," gasped Jack, and the other laughed.

"If you knew how small a risk it was you wouldn't yammer like a sheep. I tell you this is money for nothing."

"Suppose I had sixty pounds on it – "

"Sixty pounds?" sneered the other. "My dear chap, what is the use of making money in pennies? Here is the chance of your lifetime, and, unless you are a lunatic, you will not miss it. To-morrow the horse will be nearer six to one than sixteen, and you can lay out your money and stand to win a fortune at practically no risk to yourself."

He spoke for half an hour on horses – of Yamen, its speed, its breeding – and Jack listened fascinated.

"I'll ring up a bookmaker and put it on for you."

"Wait, wait," said Jack hoarsely as the other reached for the telephone; "it is a fearful lot of money to risk, Lennox."

"And a fearful lot of money to win," said the tempter. If he had had more time, he would have arranged the bet so that the six hundred pounds fell into his pocket, but that was impossible. Jack Trevor must be caught immediately or not at all – must be given no time to reflect or to seek advice, and certainly no time to discover that Yamen was a cripple. The secret might leak out at any moment;

Er stand auf, ging an einen Tisch, griff sich die Tageszeitung und blätterte darin.

«Hier stehen die Wetten», sagte er. «Hundert zu sechs auf Yamen – aber Yamen wird das Derby so sicher gewinnen wie du dein süßes Mädchen heiratest. Heute kann ich für deine sechshundert zehntausend holen – morgen könnte der Preis schon schlechter sein.»

«Mein Gott! Ich kann es mir nicht leisten, sechshundert Pfund zu verlieren», keuchte Jack. Der andere lachte.

«Wenn du wüsstest, wie gering das Risiko ist, würdest du nicht jammern wie ein Schäfchen. Eins sage ich dir, leichter kannst du dein Geld nicht verdienen.»

«Angenommen, ich würde sechzig Pfund setzen ...»

«Sechzig Pfund?», schnaubte der andere. «Mein Lieber, wieso willst du so kleinlich sein? Dies hier ist die Chance deines Lebens, nur ein Verrückter würde sich so etwas entgehen lassen. Morgen wird das Pferd näher bei sechs zu eins als bei sechzehn stehen. Du kannst dein Geld fast ohne Risiko setzen und gewinnst mit Sicherheit ein Vermögen.»

Eine halbe Stunde lang redete er über Pferde – über Yamen, seine Schnelligkeit, seine Abstammung – und Jack lauschte fasziniert.

«Ich rufe einen Buchmacher an und setze für dich.»

«Warte, warte», sagte Jack mit belegter Stimme, als der andere zum Telefon griff, «das bedeutet, fürchterlich viel Geld aufs Spiel zu setzen, Lennox.»

«Oder fürchterlich viel Geld zu gewinnen», sagte sein Versucher. Mit mehr Zeit hätte er die Wette so arrangiert, dass die sechshundert in seine Tasche gewandert wären, aber das war unmöglich. Er musste sich Jack Trevor jetzt packen oder gar nicht. Wenn er ihm Zeit zum Nachdenken oder Rat holen ließ, kam womöglich auf, dass Yamen ein Krüppel war. Das Geheimnis konnte jeden Moment durchsickern; ein unzufriedener Stallbursche, ein zufälliger Spi-

a disgruntled stable-boy, a chance spy, a too-talkative veterinary surgeon – any of these might talk and the stable's secret would be revealed. The loss of six hundred might not prevent a contemptuous little hairdressing girl from marrying – it would certainly postpone the event.

"I'll do it," said Jack, with a gasp, and listened as in a dream to his placid companion's voice.

"Put it to the account of Mr. John Trevor, Castlemaine Gardens ... yes, I'll be responsible. Thank you."

He hung up the receiver, and looked round at the other with a queer smile. "I congratulate you," he said softly, and Jack went back to the city, his head in a whirl, even the mystery of his fiancee's movements obscured by the tremendous realisation of his own recklessness.

Marjorie Banning heard the news and dropped into a twopenny park chair. Happily, the chair was there.

"You've put all the money on a horse?" she said hollowly. "Oh, Jack!"

"But, my dear," said Jack stoutly, "the money is as good as mine, and all that Lennox said is true. The horse was sixteen to one yesterday and it is only eight to one today."

"Oh, Jack!" was all she could say.

He had to find conviction for himself. He was miserably conscious of his own folly, and had cursed himself that he had ever listened to the voice of temptation.

"It is all right, Marjorie," he said, with poorly simulated cheerfulness; "the horse belongs to Lennox Mayne's uncle. He told Lennox that it is certain to win. Think what ten thousand pounds means, Marjorie dear... "

on, ein zu redseliger Tierarzt – jeder von ihnen konnte aus-
packen und das Geheimnis des Stalls verraten. Der Verlust
von sechshundert Pfund hinderte eine hochnäsige kleine
Friseuse vielleicht nicht am Heiraten – aber sicher würde
es das Ereignis aufschieben.

«Ich mach's», sagte Jack und atmete tief durch. Wie im
Traum lauschte er der ruhigen Stimme seines Bekannten.

«Es geht auf die Rechnung von Mr. John Trevor,
Castlemaine Gardens ... ja, ich übernehme die Verantwortung. Danke.»

Er legte den Hörer auf und drehte sich mit einem sonder-
baren Lächeln zu Jack um. «Herzlichen Glückwunsch»,
sagte er sanft. Jack begab sich zurück in die Stadt. Er war
ganz durcheinander, und als ihm aufging, wie fürchterlich
leichtsinnig er gewesen war, vergaß er darüber fast das
rätselhafte Verhalten seiner Verlobten.

Als Marjorie Banning die Neuigkeiten hörte, sank sie
auf eine schäbige Parkbank, die glücklicherweise gerade
in der Nähe stand.

«Du hast das ganze Geld auf ein Pferd gesetzt?», fragte
sie ungläubig. «Oh, Jack!"

«Aber, Liebes», sagte Jack tapfer, «das Geld ist mir so
gut wie sicher, und was Lennox gesagt hat, stimmt alles.
Gestern stand das Pferd noch bei sechzehn zu eins und
heute sind es nur noch acht zu eins.»

«Oh, Jack!», war alles, was sie hervorbrachte.

Er musste sich selbst erst überzeugen. Seine Dummheit
war ihm schmerzhaft bewusst, und er verfluchte sich dafür, jemals auf die Stimme der Versuchung gehört zu
haben.

«Es ist in Ordnung, Marjorie», brachte er mit erbärm-
lich geheuchelter Fröhlichkeit hervor. «Das Pferd gehört
dem Onkel von Lennox Mayne, und der hat zu Lennox gesagt, dass es sicher gewinnen wird. Denk nur, Majorie,
Liebes, was das bedeutet, zehntausend Pfund ...»

She listened, unconvinced. She who knew with what labour and sacrifice his little nest-egg had been gathered, who understood even more clearly than he what its loss would entail, could only sit with a blank sense of despair at her heart.

At that moment Mr. Lennox Mayne was experiencing something of her dismay, though the cause was a little different. Summoned by telegram, he who had been described as the "Prince of Touts" – though a more untidy, unshaven, and uncomfortable prince had never borne such a title – had come post-haste to Manchester Square, and whilst the grimy Ford, with its stout, hen-like driver, stood at the door, Mr. Willie Jeans fidgeted uneasily and endured with such patience as he could command the flow of his employer's abuse.

"You're a blundering jackass, and I was a fool to hire you," stormed Lennox Mayne.

"What is the use of touting a horse if you're seen touting? I told you that you were not to let anybody know that you were connected with me, you drivelling fool, and you've been talking."

"No, I ain't," said the other indignantly. "I never talk. Do you think I should be able to earn a living if I – "

"You've been talking. Listen to this."

Lennox snatched up a letter from the table.

"This is from my uncle. Listen to this, you damned fool: 'You are not satisfied with my information, it seems, but employ your tout to spy on my training. You can tell Mr. Willie Jeans from me that if ever he is again seen in or near my estate, he will get the biggest flogging he has ever had in his life.'" The following paragraph, which

Sie hörte ihm zu, war aber nicht überzeugt. Schließlich wusste sie, unter welchen Opfern und Mühen er sein kleines Sparvermögen zusammengetragen hatte. Was der Verlust des Geldes nach sich ziehen würde, war ihr noch klarer als ihm, weshalb sie nur zutiefst erschüttert dasitzen konnte.

Zur gleichen Zeit wie Marjorie reagierte Mr. Lennox Mayne ähnlich entsetzt, allerdings lag die Ursache hier etwas anders. Von einem Telegramm gerufen, war der sogenannte «Prinz der Spione» – auch wenn die Welt noch nie einen so schäbigen, unrasierten und verlegenen Prinzen gesehen hatte – postwendend am Manchester Square erschienen. Während der schmutzige Ford mit seinem korpulenten, gluckenähnlichen Fahrer vor der Tür wartete, ließ Mr. Willie Jeans nervös zappelnd und unter Aufbringung all seiner Geduld die Zornestiraden seines Arbeitgebers über sich ergehen.

«Sie sind ein dilettantischer Dummkopf, und ich war ein Narr, Sie zu engagieren», wütete Lennox Mayne.

«Welchen Zweck hat es, ein Pferd auszuspionieren, wenn man sich dabei erwischen lässt? Ich habe Ihnen doch gesagt, dass Sie kein Sterbenswörtchen über unsere Verbindung fallen lassen dürfen, Sie Quatschkopf, aber Sie haben nicht dicht gehalten.»

«Stimmt nicht», empörte sich der andere, «ich rede nie. Wie sollte ich meinen Unterhalt verdienen, wenn ich ...»

«Sie haben geredet. Hören Sie sich das an.»

Lennox schnappte sich einen Brief vom Tisch.

«Der ist von meinem Onkel. Hören Sie zu, Sie verdammter Narr: ‹Anscheinend bist du mit meinen Informationen nicht zufrieden und beschäftigst einen Spion, der mein Training beobachtet. Bestelle Mr. Willie Jeans von mir, dass er sich die größte Tracht Prügel seines Lebens einhandeln wird, wenn er sich noch einmal in der Nähe meines Gutes sehen lässt.›» Den nächsten Absatz,

gave Stuart Greyman's opinion of his nephew, Lennox did not read.

"I never knew anybody saw me; there was nobody about when I was on the wall," grumbled Mr. Jeans. "I've earned my fifty, if ever a man has earned it."

"You'll get no fifty from me," said Lennox. "I've given you as much money as you're entitled to, and don't come near me again."

When Mr. Willie Jeans joined his brother, he was in no amiable frame of mind.

"Where are we going now?" asked that placid man.

Willie suggested a place which has the easiest and most varied of routes, and his brother, who was not unused to these temperamental outbursts, held on his way, for their original destination had been Epsom. A policeman at Hyde Park raised a warning hand at the sight of the ramshackle machine, but Mr. Willie Jeans' flivver was a "private car" within the meaning of the Act, and they joined the resplendent procession of machines that were moving slowly through the Park.

It was Fate that made the oil lubrication choke within a dozen paces of where two disconsolate lovers were sitting.

"What a queer car!" said the girl; "and isn't that the man you saw the other day – the tout, did you call him?"

"Yes," said Jack gloomily ; "that's the tout," and then suddenly, "I wonder if he knows?"

He rose and walked across to the man, and Willie touched his cap.

"Good evening, Mr. Trevor."

"Where are you going?" asked Jack.

"I'm going to Epsom, to watch the Derby gal-

in dem sich Stuart Greyman über seinen Neffen ausließ, las Lennox nicht.

« Ich hatte keine Ahnung, dass ich gesehen worden bin. Es war niemand in der Nähe, als ich auf der Mauer war », schmollte Mr. Jeans. « Ich habe mir meine Fünfzig redlich verdient. »

« Von mir kriegen Sie keine Fünfzig », sagte Lennox. « Ich habe Ihnen bereits gegeben, was Ihnen zusteht. Und wagen Sie sich nie wieder in meine Nähe. »

Als Mr. Willie Jeans zu seinem Bruder zurückkehrte, war er nicht besonders freundlich gestimmt.

« Wohin geht es jetzt? », fragte der gemütliche Mann.

Der Ort, an den Willie ihn schicken wollte, war auf sehr einfachem und abwechslungsreichem Weg zu erreichen, doch sein Bruder, dem diese Temperamentsausbrüche nicht neu waren, fuhr unbeirrt weiter in Richtung ihres ursprünglichen Ziels Epsom. Am Hyde Park hob ein Polizist beim Anblick des klapprigen Autos warnend die Hand, doch Mr. Willie Jeans' Rostlaube war ein gesetzlich zugelassener « Privatwagen », und so reihten sie sich in die prächtige Wagenkolonne ein, die sich langsam durch den Park schlängelte.

Das Schicksal wollte es, dass die Ölpumpe nur wenige Meter vor einer Bank mit zwei tieftraurigen Verliebten versagte.

« Was für ein komisches Auto! », sagte das Mädchen. « Ist das nicht der Mann, dem wir neulich begegnet sind – dieser Spion, wie du ihn genannt hast? »

« Ja, das ist er », sagte Jack düster. Plötzlich kam ihm eine Idee: « Ob er was weiß? »

Er erhob sich und ging auf den Mann zu. Willie berührte grüßend seine Mütze.

« Guten Abend, Mr. Trevor. »

« Wohin fahren Sie? », fragte Jack.

« Nach Epsom, ich will mir das Derby anschauen. Die

lops. Most of the horses are there now, but," he grinned unpleasantly, "not Yamen."

"Why isn't he there?" asked Jack, with a sickening of heart, for he instinctively recognised the hostility which the little man displayed toward the horse on whose well-being so much depended.

"Because he'll never see a racecourse – that's why," said the other savagely.

"He'll never see a racecourse? What do you mean?" asked Jack slowly.

"He is lame," said the little man. "I hope you haven't backed him?" he asked suddenly.

Jack nodded.

"Come over here," he said. "This is pretty bad news I've heard; Marjorie," he said. "Jeans says that Yamen is lame."

"That's right," nodded the tout; "as lame as old Junket. That is another one of Mr. Greyman's. You remember him, sir; he always looked as if he was winning in a canter and went lame in the last hundred yards."

"I don't know much about horses," said Jack. "I want you to tell me about Yamen. How long has it been lame?"

"Three days," said the little man. "I have been touting it for a week. It broke down in the winding-up gallop."

"But does Mr. Greyman know?"

"Mr. Greyman!" said the little man scornfully; "why, of course he knows. He didn't let on to Lennox Mayne, but I told Lennox Mayne, and a fat lot of thanks I got for it."

"When did you tell him?" asked Jack, going white.

meisten Pferde sind bereits dort, bloß Yamen nicht», erwiderte er mit einem kläglichen Grinsen.

«Warum nicht?», fragte Jack, dem fast das Herz stehenblieb, weil er instinktiv erkannte, wie wenig der Mann dem Pferd gewogen war, von dessen Wohlergehen so viel für ihn abhing.

«Weil der keine Rennbann mehr sehen wird, darum», erwiderte der andere grimmig.

«Er wird keine Rennbahn mehr sehen? Wie meinen Sie das?», fragte Jack begriffsstutzig.

«Er lahmt», sagte der kleine Mann und fragte dann: «Haben Sie etwa auf ihn gesetzt?»

Jack nickte.

«Komm doch mal, Marjorie», sagte er. «Ich höre gerade ziemlich schlechte Neuigkeiten. Jeans sagt, dass Yamen lahm ist.»

«Ja, so ist es», nickte der Spion, «genauso lahm wie der alte Junket. Das ist auch eins von Mr. Greymans Pferden. Sie erinnern sich bestimmt an ihn, Sir. Er sah immer so aus, als würde er mühelos gewinnen, und dann fing er auf den letzten hundert Metern an zu lahmen.»

«Ich kenne mich nicht gut mit Pferden aus», sagte Jack. «Bitte erzählen Sie mir mehr über Yamen. Wie lange lahmt er schon?»

«Drei Tage», sagte der kleine Mann. «Ich habe ihn eine ganze Woche lang beobachtet. Beim letzten Galopp vor dem Rennen ist er zusammengebrochen.»

«Aber weiß Mr. Greyman das?»

«Mr. Greyman!», erwiderte der Kleine verächtlich. «Natürlich weiß er das. Zu Lennox Mayne hat er nichts gesagt, aber ich habe es ihm verraten, was er mir schön gedankt hat.»

«Wann haben Sie es ihm gesagt?», fragte Jack, der ganz blass wurde.

"The day before yesterday."

"Then Lennox Mayne knew!" Jack was bewildered, shocked beyond expression.

"It can't be true," he said. "Lennox would never – "

"Lennox Mayne would give away his own aunt," said Willie Jeans contemptuously.

"Was it Lennox Mayne who persuaded you to back this horse?" asked the girl.

Jack nodded.

"You are sure Yamen is lame?"

"I swear to it. I know Yamen as I know the back of my hand," said the little man emphatically. "The only horse with four white stockings in the Baldock stables – "

"Baldock!" The girl was on her feet, staring. "Baldock, did you say?"

"That's right, miss."

"Who lives there?" she asked quickly. "What is his name?"

"Greyman."

"What sort of a man is he?"

"He is an old man about sixty, grey-haired, and as hard as a nail. A cunning old devil he is, too; I'll bet he's too cunning for Lennox Mayne."

She was silent a long time after the little man had gone on his shaky way, and then most unexpectedly, most surprisingly, she asked:

"Will you take me to see the Derby, Jack?"

"Good lord! I didn't expect you'd be interested," he said, "and it will be an awful crush."

"Will you take me? You can hire a car for the day, and we could see the race from the roof. Will you take me?"

«Vorgestern.»

«Dann wusste Lennox Mayne es!» Jack war verwirrt und völlig entsetzt.

«Das kann nicht sein», sagte er, «Lennox würde niemals ...»

«Lennox Mayne würde seine eigene Tante verraten», sagte Willie Jeans verächtlich.

«Hat Lennox Mayne dich dazu überredet, auf dieses Pferd zu setzen?», fragte das Mädchen.

Jack nickte.

«Und Sie sind sicher, dass Yamen lahmt?»

«Ich schwöre es. Ich kenne Yamen so gut wie meine eigene Hand», sagte der kleine Mann bestimmt. «Er ist das einzige Pferd mit vier weißen Fesseln im Stall von Baldock ...»

«Baldock!» Das Mädchen war aufgesprungen und starrte ihn an. «Haben Sie Baldock gesagt?»

«Habe ich, Miss.»

«Wer wohnt dort?», fragte sie überstürzt. «Wie heißt der Besitzer?»

«Greyman.»

«Wie sieht er aus?»

«Ein älterer Herr um die sechzig. Grauhaarig, aber ein zäher Bursche. Und er ist ein gerissener alter Gauner, ich wette zu gerissen für Lennox Mayne.»

Nachdem der kleine Mann sich wieder auf seinen unsicheren Weg gemacht hatte, blieb sie lange still. Dann fragte sie plötzlich und unerwartet:

«Fährst du mit mir zum Derby, Jack?»

«Herr je», sagte dieser, «ich hätte nicht gedacht, dass dich das interessieren würde. Außerdem wird es ein schreckliches Gewühl sein.»

«Fährst du mit mir? Du kannst für einen Tag einen Wagen mieten und wir könnten uns das Rennen vom Autodach aus anschauen. Fährst du?»

He nodded, too dumbfounded to speak. She had never before evinced the slightest interest in a horse race.

III

Some rumour of the dark Yamen's infirmity must have crept out, for on the morning of the race the horse was quoted amongst the twenty-five to one brigade, and hints of a mishap appeared in the morning Press.

"We hear," said the 'Sporting Post', "that all is not well with Mr. Greyman's dark candidate, Yamen. Perhaps it is wrong to describe him as 'dark,' since he has already run twice in public, but until his name appeared prominently in the betting-list, very few had the slightest idea that the colt by Mandarin – Ettabell had any pretensions to classic events. We hope, for the sake of that good sportsman, Mr. Stuart Greyman, that rumour has exaggerated."

Marjorie had never been to a race-meeting before, and possibly even the more sedate meetings would have astonished her, but Epsom was a revelation. It was not so much a race-meeting as a great festival and fair. The people frightened her. She tried, as she stood on the roof of the car, to calculate their number. They blackened the hills, they formed a deep phalanx from one end of the course to the other, they packed the stands and crowded the rings, and between races filled the course. The thunderous noise of them, their ceaseless movement, the kaleidoscopic colour, the

Er nickte nur, weil es ihm die Sprache verschlagen hatte. Sie hatte noch nie zuvor das geringste Interesse an Pferderennen gezeigt.

III

Es mussten Gerüchte über die schlechte Form des auf der Rennbahn noch unbekannten Yamen an die Öffentlichkeit gedrungen sein, denn am Morgen des Rennens standen die Wetten auf das Pferd im Bereich fünfundzwanzig zu eins. In den Morgenzeitungen las man Hinweise auf das Missgeschick.

«Wir haben gehört», hieß es in der ‹Sporting Post›, «dass es um Mr. Greymans unbekannten Kandidaten Yamen nicht zum Besten steht. ‹Unbekannt› mag hier zwar eine falsche Formulierung sein, da das Pferd bereits zweimal in der Öffentlichkeit gelaufen ist, doch bis sein Name auf den oberen Plätzen der Wettlisten erschien, wussten nur die wenigsten, dass der Nachkömmling von Mandarin und Ettabell Chancen auf eine Turf-Karriere haben könnte. Für unseren Sportsfreund Mr. Stuart Greyman hoffen wir, dass die Gerüchte übertrieben waren.»

Marjorie war noch nie bei einem Pferderennen gewesen und hätte vermutlich schon über eine der ruhigeren Veranstaltungen gestaunt, in Epsom jedoch gingen ihr die Augen über. Es war mehr Jahrmarkt und Volksfest als ein Pferderennen, und die vielen Menschen erschreckten sie. Vom Dach des Autos aus versuchte sie ihre Zahl zu berechnen. Die Hügel waren schwarz von Menschen, die eine geschlossene Front vom einen Ende der Rennbahn bis zum anderen bildeten, sich auf den Tribünen drängten, die Buchmacherplätze bevölkerten und zwischen den Rennen auf der Bahn herumliefen. Der ungeheure Lärm, das Gewimmel von Farben und Bewegungen, die Buden

booths and placards even more than the horses held her interest.

"There are all sorts of rumours about," said Jack, returning from his tour of discovery. "They say that Yamen doesn't run. The papers prepared us for that. I am horribly afraid, dear, I've been a fool."

She bent down over the edge of the roof and took his hand, and to his amazement he discovered she had left a paper in it.

"What's this – a banknote? Are you going to have a bet?"

She nodded.

"I want you to make a bet for me," she said.

"What are you backing?"

"Yamen," she replied.

"Yamen!" he repeated incredulously, and then looked at the note. It was for a hundred pounds. He could only stare helplessly at her.

"But you mustn't do this, you really mustn't."

"Please," she insisted firmly.

He made his way to Tattersalls' ring, and after the race preliminary to the Derby had been run, he approached a bookmaker whose name he knew. The numbers were going up when he got back to her.

"I got two thousand to a hundred for you," he said – "and I nearly didn't."

"I should have been very angry with you if you hadn't," said Marjorie.

"But why – " he began, and then broke off as the frame of the number board went up.

"Yamen is running," he said.

Nobody knew better than the girl that Yamen was running. She watched the powder-blue jacket

und Plakate interessierten Marjorie noch mehr als die Pferde.

«Es gehen die unterschiedlichsten Gerüchte um», berichtete Jack, der von einer Erkundungstour zurückkam. «Es heißt, Yamen startet nicht. Die Zeitungen haben uns schon darauf vorbereitet. Es tut mir entsetzlich leid, Schatz, es war wirklich dumm von mir.»

Sie beugte sich vom Autodach hinunter und nahm seine Hand. Zu seiner Verwunderung stellte er fest, dass sie ihm einen Geldschein hineingedrückt hatte.

«Was soll das – ein Geldschein? Willst du wetten?»

Sie nickte.

«Ich möchte, dass du für mich setzt», sagte sie.

«Auf wen?»

«Yamen», erwiderte sie.

«Yamen!», wiederholte er ungläubig und blickte auf die Banknote. Es war ein Hundertpfundschein. Er konnte sie nur hilflos anstarren.

«Aber das darfst du nicht, wirklich, lass das.»

«Bitte», beharrte sie.

Er bahnte sich einen Weg zu den Wettschaltern des Auktionshauses Tattersall, und nachdem das Rennen, das dem Derby voranging, beendet war, sprach er einen ihm bekannten Buchmacher an. Als er zu Marjorie zurückkehrte, wurden gerade die Startnummern bekannt gegeben.

«Ich habe zweitausend zu hundert gekriegt», sagte er, «aber um ein Haar hätte ich es gelassen.»

«Dann wäre ich sehr wütend auf dich gewesen», sagte Marjorie.

«Aber warum …», hob er an, unterbrach sich aber, als die Nummerntafel hochging.

«Yamen läuft», sagte er.

Niemand wusste besser als die junge Frau, dass Yamen an den Start gehen würde. In der Parade vor dem Rennen

in the preliminary parade, and caught a glimpse of the famous white stockings of Mandarin's son as he cantered down to the post. Her arm was aching with the labour of holding the glasses, but she never took them off the powder-blue jacket until the white tape flew upward and the roar of two hundred thousand voices cried in unison:

"They're off!"

The blue jacket was third as the horses climbed the hill, fourth on the level by the railway turn, third again as the huge field ran round Tattenham Corner into the straight, and then a strident voice from a near-by bookmaker shouted: "Yamen wins for a pony!" as the dark Yamen took the lead and won hard-held by three lengths.

"I don't know how to begin the story," she said that night. They were dining together, but Marjorie was hostess.

"It really began about a month ago, when an old gentleman came into the shop and saw Mr. Fennett, the proprietor. They were together about ten minutes, and then I was sent for to the private office. Mr. Fennett told me that the gentleman had a special commission, and he wanted an expert to undertake some dyeing work. I thought at first it was for himself, and I was rather sorry that a nice-looking old gentleman should want to interfere with his beautiful white hair. I didn't actually really know for what purpose I was required until the next week, when his car came for me and I was driven to Baldock. And then he told me. He asked me if I had brought the bleaching and dyeing material with me, and when I told him that I had, he let me into the secret. He said he was very fussy about the colour of horses, and

sah sie das taubenblaue Jackett des Jockeys, und als er zur Startlinie aufgaloppierte, erhaschte sie einen Blick auf die berühmten weißen Fesseln des Sohnes von Mandarin. Der Arm, mit dem sie krampfhaft das Fernglas hielt, schmerzte schon, aber sie ließ die taubenblaue Jacke nicht aus den Augen, bis das weiße Band hochflog und zweihunderttausend Stimmen unisono verkündeten:

«Los!»

Als die Pferde den Hügel heraufkamen, lag die blaue Jacke an dritter Stelle, in der Eisenbahnkurve nur noch an vierter, und als das große Feld nach der Tattenham Corner in die Zielgerade bog, wieder an dritter Stelle. Dann hörte sie einen Buchmacher in der Nähe mit schriller Stimme «Yamen macht das Rennen!» rufen, und der unbekannte Yamen setzte sich an die Spitze und gewann mit drei Längen Vorsprung.

«Ich weiß nicht, womit ich anfangen soll», sagte Marjorie an jenem Abend, als sie beim Essen saßen, zu dem sie eingeladen hatte.

«Es begann vor ungefähr einem Monat, als ein älterer Herr in den Salon kam und mit dem Besitzer Mr. Fennett sprach. Nachdem sie sich etwa zehn Minuten unterhalten hatten, wurde ich ins Privatbüro gerufen. Mr. Fennett sagte mir, der Herr habe einen besonderen Auftrag und brauche eine Expertin fürs Färben. Anfangs dachte ich, es ginge um ihn selbst, und fand es recht schade, dass ein so nett aussehender älterer Herr sich an seinem schönen weißen Haar zu schaffen machen wollte. Erst als ich eine Woche später von seinem Wagen abgeholt und nach Baldock gebracht wurde, erklärte er mir, zu welchem Zweck ich gebraucht wurde. Er fragte mich, ob ich meine Bleich- und Färbemittel dabei hätte, und als ich bejahte, weihte er mich in sein Geheimnis ein. Was die Farben von Pferden angehe, sagte er, sei er sehr heikel, und er habe ein wunderbares Pferd mit weißen Beinen, die er nicht ausstehen könne. Er wollte,

he had a wonderful horse with white legs, and that he objected to white legs. He wanted me to dye the legs a beautiful brown. Of course I laughed at first, it was so amusing, but he was very serious, and then I was introduced to this beautiful horse – who was the most docile client I have ever treated," she smiled.

"And you dyed his legs brown?"

She nodded.

"But that was not all. There was another horse whose legs had to be bleached. Poor dear, they will be bleached permanently, unless he dyes them again. I know now, but I didn't know then, that it was a horse called Junket. Every few days I had to go to Baldock and renew the dye and the bleach. Mr. Greyman made it a condition with Mr. Fennett that my commission should be kept a secret even from the firm, and of course I never spoke about it, not even to you."

"Then when I saw you in the car – "

"I was on my way to Baldock to dye and bleach my two beautiful clients," she laughed.

"I know nothing about racehorses, and I hadn't the slightest idea that the horse I had dyed was Yamen. In fact, until Willie Jeans mentioned the word 'Baldock' I had not connected the stable with the Derby.

"The morning after I left you I had an engagement to go to Baldock to remove the dye – Mr. Greyman had told me that he had changed his mind, and that he wanted the horse to have white legs again. And then I determined to speak to him and tell him just how you were situated. He told me the truth, and he swore me to secrecy. He was reconciled to Lennox and told him all about Yamen. And then he discovered that Lennox did not believe him and was having the horses watched. He was so angry that, in order

dass ich die Beine in ein schönes Braun färbte. Erst habe ich natürlich gelacht, weil ich das so komisch fand, aber es war ihm ausgesprochen ernst. Dann hat er mich zu diesem schönen Pferd geführt. Es war der fügsamste Kunde, den ich jemals unter den Händen hatte», lächelte sie.

«Und du hast ihm die Beine braun gefärbt?»

Sie nickte.

«Aber das war nicht alles. Es gab noch ein anderes Pferd, dessen Beine ich bleichen musste. Das arme Tier, sie werden immer so bleiben, es sei denn, man färbt sie wieder. Jetzt weiß ich, was ich damals nicht wusste: das Pferd hieß Junket. Alle paar Tage musste ich nach Baldock kommen und das Färben und Bleichen wiederholen. Mr. Greyman hatte es Mr. Fennett zur Bedingung gemacht, dass mein Auftrag auch innerhalb des Geschäfts geheim bleiben sollte, deshalb habe ich natürlich kein Wort darüber verloren, auch nicht dir gegenüber.»

«Und als ich dich in dem Auto gesehen habe ...»

«War ich auf dem Weg nach Baldock, um meine beiden schönen Kunden zu färben und zu bleichen», lachte sie.

«Ich kenne mich mit Rennpferden nicht aus und wäre natürlich nie darauf gekommen, dass es sich bei dem von mir gefärbten Pferd um Yamen handelte. Genau genommen habe ich den Stall erst mit dem Derby in Verbindung gebracht, als Willie Jeans den Namen ‹Baldock› fallen ließ.

Als wir uns an jenem Morgen trennten, musste ich nach Baldock, um die Farbe zu entfernen – Mr. Greyman hatte mir gesagt, er habe seine Meinung geändert und wolle das Pferd jetzt wieder mit weißen Beinen. Da habe ich beschlossen, mit ihm zu sprechen und ihm von deiner Lage zu erzählen. Er hat mir die Wahrheit gesagt, und ich musste schwören, sie für mich zu behalten. Er hatte sich mit Lennox versöhnt und ihm alles über Yamen erzählt. Als er dann merkte, dass Lennox ihm nicht glaubte und seine Pferde beobachten ließ, wurde er so wütend, dass er sei-

to deceive his nephew's watcher, he had the horse's legs dyed, and gave the – the tout a chance of seeing poor Junket with his bleach-ed legs break down – as he knew he would. He told me he had backed Yamen to win him a great fortune."

"So you, of all people, on Epsom Downs knew that Yamen would win?"

"Didn't I back him?" asked the dyer of legs.

nem Pferd die Beine färben ließ, um den … den Spion seines Neffen hinters Licht zu führen. Er gab ihm Gelegenheit, den armen Junket mit seinen gefärbten Beinen zusammenbrechen zu sehen, womit er ja gerechnet hatte. Zu mir sagte er, er habe darauf gesetzt, dass Yamen ihm ein Vermögen einbringt.»

«Dann warst von allen Menschen in Epsom Downs du diejenige, die wusste, dass Yamen gewinnt?»

«Habe ich nicht auf ihn gesetzt?», gab die Beinfärberin zurück.

The Green Mamba

The spirit of exploration has ruined more promising careers than drink, gambling or the smiles of women. Generally speaking, the beaten tracks of life are the safest, and few men have adventured into the uncharted spaces in search of easy money who have not regarded the discovery of the old hard road whence they strayed as the greatest of their achievements.

Mo Liski held an assured position in his world, and one acquired by the strenuous and even violent exercise of his many qualities. He might have gone on until the end of the chapter, only he fell for an outside proposition, and, moreover, handicapped himself with a private feud, which had its beginning in an affair wholly remote from his normal operations.

There was a Moorish grafter named El Rahbut, who had made several visits to England, travelling by the banana boats which make the round trip from London River to Funchal Bay, Las Palmas, Tangier and Oporto. He was a very ordinary, yellow-faced Moor, pock-marked and undersized, and he spoke English, having in his youth fallen into the hands of a well-meaning American missionary. This man Rahbut was useful to Mo because quite a lot of German drugs are shipped via Trieste to the Levant, and many a crate of oranges has been landed in the Pool that had, squeezed in their golden interiors, little metal cylinders containing smuggled saccharine, heroin, cocaine, hydrochlorate and divers other noxious medicaments.

Rahbut brought such things from time to time, was paid fairly and was satisfied. One day, in the

Die Grüne Mamba

Die Lust auf Abenteuer hat mehr vielversprechende Karrieren ruiniert als der Alkohol, das Glücksspiel oder das Lächeln der Frauen. Im Allgemeinen bewegt man sich in den ausgefahrenen Geleisen des Lebens am sichersten, und nur wenige von denen, die sich auf der Suche nach schnellem Geld auf unbekanntes Terrain vorgewagt haben, hielten es nicht für die größte ihrer Errungenschaften, wieder auf den mühsamen rechten Weg gefunden zu haben, von dem sie abkamen.

Mo Liski hatte sich dank der tatkräftigen oder sogar gewalttätigen Ausübung seiner vielen Fähigkeiten eine gesicherte Position in seiner Welt erarbeitet. Diese wäre ihm wohl bis ans Ende seiner Tage geblieben, hätte er sich nicht auf ein fremdes Geschäft eingelassen und sich noch dazu durch eine Privatfehde behindert, deren Ursprung völlig außerhalb seines normalen Tätigkeitsfeldes lag.

Es gab da einen maurischen Scharlatan namens El Rahbut, der auf den Bananenschiffen, die zwischen der Themse und der Bucht von Funchal, Las Palmas, Tanger und Porto verkehrten, schon des Öfteren nach England gekommen war. Er war ein sehr gewöhnlicher, kleinwüchsiger Maure mit Pockennarben und verschlagenem Blick, und er sprach Englisch, da ihn in seiner Jugend ein wohlmeinender amerikanischer Missionar unter seine Fittiche genommen hatte. Für Mo war dieser Rahbut ein nützlicher Mann, denn viele deutsche Drogen gelangten über Triest in den Mittelmeerraum. Im Pool, dem Themseufer unterhalb der London Bridge, landete so manche Apfelsinenkiste mit goldenen Früchten, in die kleine Metallzylinder mit geschmuggeltem Sacharin, Heroin, Kokain, Morphium und diversen anderen schädlichen Substanzen gepresst waren.

Rahbut brachte von Zeit zu Zeit solche Dinge vorbei, wurde anständig bezahlt und war zufrieden. Eines Tages

saloon bar of "The Four Jolly Seamen," he told Mo of a great steal. It had been carried out by a group of Anghera thieves working in Fez, and the loot was no less than the Emeralds of Suliman, the most treasured possession of Morocco. Not even Abdul Aziz in his most impecunious days had dared to remove them from the Mosque of Omar; the Anghera men being what they were, broke into the holy house, killed two guardians of the treasure, and had got away with the nine green stones of the great king. Thereafter arose an outcry which was heard from the bazaars of Calcutta to the mean streets of Marsi-Karsi. But the men of Anghera were superior to the voice of public opinion and they did no more than seek a buyer. El Rahbut, being a notorious bad character, came into the matter, and this was the tale he told to Mo Liski at "The Four Jolly Seamen" one foggy October night.

"There is a million pesetas profit in this for you and me, Mr. Good Man," said Rahbut (all Europeans who paid on the nail were "Mr. Good Man" to El Rahbut). "There is also death for me if this thing becomes known."

Mo listened, smoothing his chin with a hand that sparkled and flashed dazzlingly. He was keen on ornamentation. It was a little outside his line, but the newspapers had stated the bald value of the stolen property, and his blood was on fire at the prospect of earning half a million so easily. That Scotland Yard and every police head-quarters in the world were on the look-out for the nine stones of Suliman did not greatly disturb him. He knew the subterranean way down which a polished stone might slide; and if the worst came to the worst,

erzählte er Mo in der Bar des Lokals «Die Vier Fröhlichen Matrosen» von einem groß angelegten Diebstahl, der von einer Bande aus dem Stamm der Anghera durchgeführt worden war, die in Fès operierte. Bei der Beute handelte es sich um nichts Geringeres als die Smaragde des Suleiman, den bestgehüteten Schatz Marokkos. Nicht einmal Abdul Aziz hatte es in Zeiten größter Geldknappheit gewagt, ihn aus der Omarmoschee zu entfernen. Doch die Männer aus dem Stamm der Anghera scherte das nicht; sie brachen in das heilige Haus ein, töteten zwei Schatzwächter und machten sich mit den neun grünen Steinen des großen Königs davon. Daraufhin erhob sich ein Schrei der Entrüstung, der von den Basaren Kalkuttas bis in die schäbigen Straßen von Marsi-Karsi zu hören war. Den Anghera-Dieben war die Stimme des Volkes egal, sie suchten nur einen Käufer. Hier kam El Rahbut ins Spiel, der für seinen schlechten Charakter berüchtigt war. An einem nebligen Oktoberabend erzählte er Mo Liski in den «Vier Fröhlichen Matrosen» von dieser Geschichte.

«Da sind für uns beide eine Million Peseten Profit drin, Mr. Gutmensch», sagte Rahbut (bei Rahbut hießen alle Europäer, die bar zahlten, «Mr. Gutmensch»). «Aber wenn etwas davon durchsickert, bin ich ein toter Mann.»

Mo hörte zu und strich sich mit einer Hand übers Kinn, an der es nur so funkelte und glitzerte. Er hatte eine Schwäche für Schmuck. Zwar lag der etwas außerhalb seines Tätigkeitsbereichs, aber in den Zeitungen hatte gestanden, wie viel das Diebesgut wert war, und die Aussicht auf eine so leicht verdiente halbe Million ließ sein Herz höher schlagen. Dass Scotland Yard und jedes andere Polizeipräsidium der Welt nach den neun Steinen des Suleiman suchte, störte ihn nicht weiter. Er kannte die dunklen Kanäle, durch die ein geschliffener Stein schlüpfen konnte, und wenn es zum Schlimmsten kam, blieben ihm

there was a reward of £5,000 for the recovery of the jewels.

"I'll think it over; where is the stuff?"

"Here," said Rahbut, to the other's surprise. "In ten-twenty minutes I could lay them on your hands, Mr. Good Man."

Here seemed a straightforward piece of negotiation; it was doubly unfortunate that at that very period he should find himself mixed up in an affair which promised no profit whatever – the feud of Marylou Plessy, which was to become his because of his high regard for the lady.

When a woman is bad, she is usually very bad indeed, and Marylou Plessy was an extremely malignant woman. She was rather tall and handsome, with black sleek hair, boyishly shingled, and a heavy black fringe that covered a forehead of some distinction.

Mr. Reeder saw her once: he was at the Central Criminal Court giving evidence against Bartholomew Xavier Plessy, an ingenious Frenchman who discovered a new way of making old money. His forgeries were well-nigh undetectable, but Mr. Reeder was no ordinary man. He not only detected them, but he traced the printer, and that was why Bartholomew Xavier faced an unimpassioned judge, who told him in a hushed voice how very wrong it was to debase the currency; how it struck at the very roots of our commercial and industrial life. This the debonair man in the dock did not resent. He knew all about it. It was the judge's curt postscript which made him wince.

"You will be kept in penal servitude for twenty years."

That Marylou loved the man is open to question.

immer noch die fünftausend Pfund Belohnung, die für das Auffinden der Juwelen ausgesetzt waren.

«Ich werde darüber nachdenken. Wo ist das Zeug?»

«Hier», sagte Rahbut zur Überraschung seines Gegenübers. «Ich könnte sie Ihnen innerhalb von zehn bis zwanzig Minuten bringen, Mr. Gutmensch.»

Das klang nach einem unkomplizierten Geschäft, weshalb es umso ungeschickter war, dass sich Mo ausgerechnet jetzt in eine Affäre verstrickt sah, die keinerlei Profit versprach: Es handelte sich um die Fehde der Marylou Plessy, die zu seiner werden sollte, da er die Dame so außerordentlich schätzte.

Wenn eine Frau einen schlechten Charakter hat, dann ist er meistens sehr schlecht, und bei Marylou Plessy handelte es sich um eine wirklich heimtückische Frau. Sie war ziemlich groß und hübsch. Das schwarze seidige Haar trug sie knabenhaft kurz geschnitten, und der schwere Pony fiel ihr über eine markante hohe Stirn.

Mr. Reeder war ihr einmal begegnet, als er vor dem Obersten Strafgericht gegen Bartholomew Xavier Plessy aussagte, einen erfinderischen Franzosen, der eine neue Methode entdeckt hatte, um «alte» Geldscheine herzustellen. Seine Blüten waren fast nicht zu erkennen, doch er hatte die Rechnung ohne Mr. Reeder gemacht. Dieser hatte nicht nur das Falschgeld aufgespürt, sondern auch den Fälscher, und so sah sich Bartholomew Xavier einem leidenschaftslosen Richter gegenüber, der ihm mit ruhiger Stimme erklärte, wie schrecklich falsch es sei, Blüten in Umlauf zu bringen, und wie sehr es unser Handels- und Wirtschaftsleben an der Wurzel treffe. Der elegante Herr auf der Anklagebank zeigte sich davon kaum beeindruckt, denn dies war ihm keinesfalls neu. Doch die kurze Nachbemerkung des Richters ließ ihn zusammenzucken.

«Sie sind zu zwanzig Jahren Zuchthaus verurteilt.»

Ob Marylou den Mann liebte, sei dahingestellt. Es ist an-

The probabilities are that she did not; but she hated Mr. Reeder, and she hated him not because he had brought her man to his undoing, but because, in the course of his evidence, he had used the phrase 'the woman with whom the prisoner is associated'. And Mr. John Reeder could have put her beside Plessy in the dock had he so wished: she knew this too and loathed him for his mercifulness.

Mrs. Plessy had a large flat in Portland Street. It was in a block which was the joint property of herself and her husband, for their graft had been on the grand scale, and Mr. Plessy owned race-horses before he owned a number in Parkhurst Convict Establishment. And here Marylou entertained lavishly.

A few months after her husband went to prison, she dined tete-a-tete with Mo Liski, the biggest of the gang leaders and an uncrowned emperor of the underworld. He was a small, dapper man who wore pince-nez and looked rather like a member of one of the learned professions. Yet he ruled the Strafas and the Sullivans and the Birklows, and his word was law on a dozen race-tracks, in a score of spieling clubs and innumerable establishments less liable to police supervision. People opposing him were incontinently 'coshed'-rival leaders more or less paid tribute and walked warily at that. He levied toll upon bookmakers and was immune from police interference by reason of their two failures to convict him.

Since there are white specks on the blackest coat, he had this redeeming feature, that Marylou Plessy was his ideal woman, and it is creditable in a thief to possess ideals, however unworthily they may be disposed.

zunehmen, dass sie es nicht tat, doch sie hasste Mr. Reeder. Nicht etwa, weil er ihren Mann vernichtet hatte, sondern weil er in seiner Zeugenaussage den Ausdruck «Die Frau, die mit dem Angeklagten in Verbindung steht» gebrauchte. Hätte er es gewollt, hätte Mr. John Reeder sie neben Plessy auf die Anklagebank bringen können. Das wusste sie auch und hasste ihn für seine Barmherzigkeit.

Mrs. Plessy lebte in einer geräumigen Wohnung in der Portland Street. Sie befand sich in einem Gebäude, das ihr zusammen mit ihrem Ehemann gehörte, denn sie betrieben ihre Machenschaften auf hohem Niveau, und Mr. Plessy hatte Rennpferde besessen, bevor er eine Nummer im Zuchthaus von Parkhurst bekam. Marylou führte indessen ein großes Haus.

Wenige Monate, nachdem ihr Ehemann ins Gefängnis gewandert war, dinierte Mrs. Plessy *tête-à-tête* mit Mo Liski, dem mächtigsten Bandenführer und ungekrönten Herrscher der Unterwelt. Er war ein kleiner, eleganter Mann, der mit seinem Kneifer eher wie ein Mitglied der gebildeten Stände aussah. Trotzdem regierte er über die Strafas, Sullivans und Birklows dieser Welt, und sein Wort war auf einem Dutzend Rennbahnen, in gut zwanzig Spielclubs und unzähligen Einrichtungen, die sich der polizeilichen Aufsicht entzogen, Gesetz. Gegner bekamen ohne viel Aufhebens eins über den Kopf – Anführer rivalisierender Banden begegneten ihm in der Regel mit Respekt und gingen ihm tunlichst aus dem Weg. Er trieb Gebühren von den Buchmachern ein und war nach zwei gescheiterten Versuchen, ihn zu überführen, gegen Polizisten immun.

Da es aber auf der schwärzesten Weste weiße Flecken gibt, hatte er auch einen sympathischen Zug: Marylou Plessy war sein Ideal einer Frau, und für einen Dieb ist es schon löblich, überhaupt Ideale zu haben, so wenig das Objekt seiner Verehrung dies auch verdienen mag.

He listened intently to Marylou's views, playing with his thin watchguard, his eyes on the embroidery of the tablecloth. But though he loved her, his native caution held him to reason.

"That's all right, Marylou," he said. "I dare say I could get Reeder, but what is going to happen then? There will be a squeak louder than a bus brake! And he's dangerous. I never worry about the regular busies, but this old feller is in the Public Prosecutor's office, and he wasn't put there because he's silly. And just now I've got one of the biggest deals on that I've ever touched. Can't you 'do' him yourself? You're a clever woman: I don't know a cleverer."

"Of course, if you're scared of Reeder –!" she said contemptuously, and a tolerant smile twisted his thin lips.

"Me? Don't be silly, dearie! Show him a point yourself. If you can't get him, let me know. Scared of him! Listen! That old bird would lose his feathers and be skinned for the pot before you could say 'Mo Liski' if I wanted!"

In the Public Prosecutor's office they had no doubt about Mr. Reeder's ability to take care of himself, and when Chief Inspector Pyne came over from the Yard to report that Marylou had been in conference with the most dangerous man in London, the Assistant Prosecutor grinned his amusement.

"No – Reeder wants no protection. I'll tell him if you like, but he probably knows all about it. What are you people doing about the Liski crowd?"

Pyne pulled a long face.

"We've had Liski twice, but well organised per-

Er hörte sich aufmerksam an, was Marylou zu sagen hatte, spielte dabei mit seiner feinen Uhrkette und hielt den Blick auf die Stickereien der Tischdecke geheftet. Obwohl er sie liebte, half seine angeborene Vorsicht ihm, Vernunft zu bewahren.

«Das ist alles schön und gut, Marylou», sagte er. «Sicher könnte ich Reeder kaltmachen, aber was dann? Der Lärm wird größer sein als das Quietschen einer Busbremse! Außerdem ist er gefährlich. Die normalen Polypen machen mir keine Sorgen, aber dieser alte Knabe arbeitet in der Staatsanwaltschaft, und dort ist er nicht gelandet, weil er dumm ist. Außerdem habe ich gerade eins der größten Geschäfte laufen, in denen ich jemals die Finger hatte. Kannst du ihn nicht selbst erledigen? Du bist eine kluge Frau: Ich kenne keine klügere.»

«Natürlich, wenn du dich vor Reeder fürchtest», sagte sie verächtlich.

Ein nachsichtiges Lächeln spielte um seine schmalen Lippen. «Ich? Sei nicht albern, Schatz! Verpass ihm selbst einen Denkzettel. Wenn du es nicht schaffst, lass es mich wissen. Mich vor ihm fürchten! Hör zu! Wenn ich wollte, wäre der alte Vogel schneller für den Kochtopf gerupft und gehäutet, als du ‹Mo Liski› sagen kannst!»

In der Staatsanwaltschaft bezweifelte niemand, dass Mr. Reeder auf sich selbst aufpassen konnte, und als Chefinspektor Pyne von Scotland Yard vorbeikam, um zu berichten, dass Marylou eine Unterredung mit dem gefährlichsten Mann Londons hatte, schmunzelte der Zweite Staatsanwalt nur.

«Nein, Reeder will keinen Personenschutz. Ich kann es ihm gern erzählen, aber wahrscheinlich weiß er längst über alles Bescheid. Und was wollt ihr drüben gegen die Liski–Bande unternehmen?»

Pyne verzog das Gesicht.

«Wir hatten Liski bereits zweimal, aber ein geschickt

jury has saved him. The Assistant Commissioner doesn't want him again till we get him with the blood on his hands, so to speak. He's dangerous."

The Assistant Prosecutor nodded.

"So is Reeder," he said ominously. "That man is a genial mamba! Never seen a mamba? He's a nice green snake, and you're dead two seconds after he strikes!"

The chief inspector's smile was one of incredulity.

"He never impressed me that way – rabbit, yes, but snake, no!"

Later in the morning a messenger brought Mr. Reeder to the chief's office, and he arrived with that ineffable air of apology and diffidence which gave the uninitiated such an altogether wrong idea of his calibre. He listened with closed eyes whilst his superior told him of the meeting between Liski and Marylou.

"Yes, sir," he sighed, when the narrative came to an end. "I have heard rumours. Liski? He is the person who associates with unlawful characters? In other days and under more favourable conditions he would have been the leader of a Florentine faction. An interesting man. With interesting friends."

"I hope your interest remains impersonal," warned the lawyer, and Mr. Reeder sighed again, opened his mouth to speak, hesitated, and then: "Doesn't the continued freedom of Mr. Liski cast – um – a reflection upon our department, sir?" he asked.

His chief looked up: it was an inspiration which made him say: "Get him!"

Mr. Reeder nodded very slowly.

"I have often thought that it would be a good idea," he said. His gaze deepened in melancholy.

eingefädelter Meineid hat ihn gerettet. Der stellvertretende Polizeichef will ihn erst wieder sehen, wenn wir ihn sozusagen mit Blut an den Händen erwischen. Er ist gefährlich.»

Der Staatsanwalt nickte.

«Das ist Reeder auch», sagte er ominös. «Hinter seiner freundlichen Art ist er eine Mamba! Haben Sie schon mal eine Mamba gesehen? Das ist eine hübsche grüne Schlange, und zwei Sekunden nach ihrem Biss sind Sie tot.»

Der Chefinspektor lächelte ungläubig.

«Den Eindruck hat er auf mich nie gemacht. Kaninchen, ja, aber Schlange? Nein!»

Später am Vormittag führte ein Amtsbote Mr. Reeder ins Büro des Staatsanwalts. Er trat mit der undurchschaubar schüchternen und sanftmütigen Miene ein, die bei Uneingeweihten einen völlig falschen Eindruck seines Kalibers hinterließ. Mit geschlossenen Augen hörte er sich an, was sein Vorgesetzter ihm über das Treffen zwischen Liski und Marylou zu erzählen hatte.

«Ja, Sir», seufzte er, als dieser seine Ausführungen beendet hatte. «Ich habe Gerüchte gehört. Liski? Ist das nicht dieser Mensch, der Umgang mit Kriminellen pflegt? In anderen Zeiten und unter günstigeren Umständen hätte er eine florentinische Splitterpartei angeführt. Ein interessanter Mann. Mit interessanten Freunden.»

«Ich hoffe, Ihr Interesse bleibt neutral», warnte der Anwalt, worauf Mr. Reeder erneut seufzte, seinen Mund öffnete, als wolle er etwas sagen, kurz zögerte und dann fragte: «Wirft es nicht ein – ehem – schlechtes Licht auf unsere Abteilung, Sir, dass Mr. Liski sich immer noch auf freiem Fuß befindet?»

Sein Chef blickte auf und sagte, einer Eingebung folgend: «Fassen Sie ihn!»

Mr. Reeder nickte sehr bedächtig.

«Ich habe mir schon oft gedacht, dass das eine gute Idee wäre», sagte er. Sein Blick wurde noch trauriger. «Liski hat

"Liski has many acquaintances of a curious character," he said at last. "Dutchmen, Russians, – he knows a Moor."

The chief looked up quickly.

"A Moor – you're thinking of the Nine Emeralds? My dear man, there are hundreds of Moors in London and thousands in Paris."

"And millions in Morocco," murmured Mr. Reeder. "I only mention the Moor in passing, sir. As regards my friend Mrs. Plessy – I hope only for the best."

And he melted from the room.

The greater part of a month passed before he showed any apparent interest in the case. He spent odd hours wandering in the neighbourhood of Lambeth, and on one occasion he was seen in the members' enclosure at Hurst Park race-track – but he spoke to nobody, and nobody spoke to him.

One night Mr. Reeder came dreamily back to his well-ordered house in Brockley Road, and found waiting on his table a small flat box which had arrived, his housekeeper told him, by post that afternoon. The label was addressed in typewritten characters "John Reeder, Esq." and the postmark was Central London.

He cut the thin ribbon which tied it, stripped first the brown paper and then the silver tissue, and exposed a satiny lid, which he lifted daintily. There, under a layer of paper shavings, were roll upon roll of luscious confectionery. Chocolate, with or without dainty extras, had an appeal for Mr. Reeder, and he took up a small globule garnished with crystallised violets and examined it admiringly.

His housekeeper came in at that moment with his tea-tray and set it down on the table. Mr. Reeder looked over his large glasses.

viele seltsame Bekannte», sagte er schließlich. «Holländer, Russen – und ein Maure.»

Sein Chef schaute ihn an.

«Ein Maure – Sie denken an die Neun Smaragde? Mein guter Mann, in London tummeln sich Hunderte von Mauren und in Paris sind es Tausende.»

«Und in Marokko Millionen», murmelte Mr. Reeder. «Es ging mir einfach gerade durch den Kopf, Sir. Und was meine Freundin Mrs. Plessy angeht, hoffe ich nur das Beste.»

Darauf entschwand er.

Es verstrich über die Hälfte eines Monats, bevor er irgendein erkennbares Interesse an dem Fall zeigte. Reeder verbrachte etliche Stunden mit Spaziergängen in Lambeth und wurde einmal im Mitgliederbereich der Rennbahn von Hurst Park gesehen, doch er sprach mit niemandem und niemand sprach mit ihm.

Als Mr. Reeder eines Abends in Gedanken versunken in sein wohlgeordnetes Heim in der Brockley Road zurückkam, fand er auf dem Tisch eine kleine flache Schachtel vor, die, wie die Haushälterin ihm erzählte, am Nachmittag mit der Post gekommen war. Auf dem Adressaufkleber stand in Maschinenschrift «Herrn John Reeder», abgestempelt war die Sendung in Central London.

Er zerschnitt das dünne Paketband, wickelte erst das braune Papier auf und dann die dünne Silberfolie, unter der ein seidig glänzender Deckel zum Vorschein kam. Vorsichtig hob er ihn hoch und entdeckte unter einer Schicht aus Papierschnitzeln eine Auswahl feinsten Konfekts. Mr. Reeder hatte eine Schwäche für jede Art von Schokolade, ob nun mehr oder weniger exquisit verarbeitet. Er nahm eine kleine, mit kandierten Veilchen garnierte Kugel und bewunderte sie.

In dem Moment trat seine Haushälterin mit dem Teetablett ins Zimmer und stellte es auf den Tisch. Mr. Reeder blinzelte sie über seine große Brille hinweg an.

"Do you like chocolates, Mrs. Kerrel?" he asked plaintively.

"Why, yes, sir," the elderly lady beamed. "So do I," said Mr. Reeder. "So do I !" and he shook his head regretfully, as he replaced the chocolate carefully in the box. "Unfortunately," he went on, "my doctor – a very excellent man – has forbidden me all sorts of confectionery until they have been submitted to the rigorous test of the public analyst."

Mrs. Kerrel was a slow thinker, but a study of current advertisement columns in the daily newspaper had enlarged to a very considerable extent her scientific knowledge.

"To see if there is any vitamines in them, sir?" she suggested.

Mr. Reeder shook his head.

"No, I hardly think so," he said gently. "Vitamines are my sole diet. I can spend a whole evening with no other company than a pair of these interesting little fellows, and take no ill from them. Thank you, Mrs. Kerrel."

When she had gone, he replaced the layer of shavings with punctilious care, closed down the lid, and as carefully re-wrapped the parcel. When it was finished he addressed the package to a department at Scotland Yard, took from a small box a label printed redly "Poison". When this was done, he scribbled a note to the gentleman affected, and addressed himself to his muffins and his large teacup.

It was a quarter-past six in the evening when he had unwrapped the chocolates. It was exactly a quarter-past eleven, as he turned out the lights preparatory to going to bed, that he said aloud:

"Marylou Plessy – dear me !"

Here began the war.

«Mögen Sie Pralinen, Mrs. Kerrel?», fragte er wehmütig.

«Aber ja, natürlich, Sir», strahlte die ältere Dame.

«Ich auch», sagte Mr. Reeder und legte die Praline mit einem bedauernden Kopfschütteln zurück in die Schachtel. «Leider hat mir mein Arzt, ein hervorragender Mann, alle Arten von Konfekt verboten, bevor es nicht in einem staatlichen Lebensmittelinstitut untersucht wurde.»

Mrs. Kerrel war etwas langsam von Begriff, doch da sie regelmäßig die Werbeanzeigen in der Tageszeitung las, hatte sie ihre wissenschaftlichen Kenntnisse enorm verbessert.

«Um zu wissen, ob sie Vitamine enthalten, Sir?», fragte sie.

Mr. Reeder schüttelte den Kopf.

«Nein, wohl kaum», sagte er leise. «Ich esse nichts anderes als Vitamine und könnte einen ganzen Abend ausschließlich in Gesellschaft einiger dieser interessanten kleinen Burschen verbringen, ohne Schaden an meiner Gesundheit zu nehmen. Vielen Dank, Mrs. Kerrel.»

Nachdem sie gegangen war, schob er mit peinlicher Genauigkeit die Schicht aus Papierschnitzeln zurück, schloss den Deckel und wickelte das Päckchen genauso sorgfältig wieder ein. Als er damit fertig war, adressierte er es an eine Abteilung von Scotland Yard und nahm aus einer kleinen Schachtel einen Aufkleber, auf dem in roter Schrift «Gift» stand. Schließlich schrieb er noch eine Nachricht an den zuständigen Herrn und widmete sich dann seinen Muffins und der großen Teetasse.

Abends um viertel nach sechs hatte er die Konfektschachtel ausgepackt. Um Punkt Viertel nach elf, als er das Licht löschte, um zu Bett zu gehen, sagte er laut:

«Meine Güte, Marylou Plessy!»

Es war der Beginn des Krieges.

This was Wednesday evening; on Friday morning the toilet of Marylou Plessy was interrupted by the arrival of two men who were waiting for her when she came into the sitting-room in her negligee. They talked about fingerprints found on chocolates and other such matters.

Half an hour later a dazed woman sat in the cells at Harlboro Street and listened to an inspector's recital of her offence. At the following sessions she went down for two years on a charge of "conveying by post to John Reeder a poisonous substance, to wit aconite, with intent to murder."

To the last Mo Liski sat in court, his drawn haggard face testifying to the strength of his affection for the woman in the dock. After she disappeared from the dock he went outside into the big, windy hall, and there and then made his first mistake.

Mr. Reeder was putting on his woollen gloves when the dapper man strode up to him.

"Name of Reeder?"

"That is my name, sir."

Mr. Reeder surveyed him benevolently over his glasses. He had the expectant air of one who has steeled himself to receive congratulations.

"Mine is Mo Liski. You've sent down a friend of mine – "

"Mrs. Plessy?"

"Yes – you know! Reeder, I'm going to get you for that!"

Instantly somebody behind him caught his arm in a vice and swung him round. It was a City detective.

"Take a walk with me," he said.

Mo went white. Remember that he owed the strength of his position to the fact that never once had he been convicted: the register did not bear his name.

Dies geschah am Mittwochabend. Am Freitagmorgen wurde Marylou Plessy von zwei Herren bei ihrer Toilette gestört. Als sie im Negligé ins Wohnzimmer trat, warteten sie dort auf sie und sprachen über Fingerabdrücke auf Pralinen und ähnliche Dinge.

Eine halbe Stunde später saß eine benommene Frau in einer Zelle der Harlboro Street und hörte zu, welches Vergehen der Inspektor ihr zur Last legte. Im darauf folgenden Gerichtsverfahren wurde sie angeklagt, «John Reeder in mörderischer Absicht eine giftige Substanz, nämlich Aconit, mit der Post geschickt zu haben», und zu zwei Jahren Gefängnis verurteilt.

Mo Liski wohnte dem Verfahren bis zum Schluss bei, und sein sorgenvoller Gesichtsausdruck verriet, wie stark seine Gefühle für die Angeklagte waren. Nachdem sie die Anklagebank verlassen hatte, ging er hinaus in die große, zugige Vorhalle und beging sofort den ersten Fehler.

Mr. Reeder zog sich gerade die Wollhandschuhe an, als der elegante Herr auf ihn zukam.

«Sie heißen Reeder?»

«So heiße ich, Sir.»

Mr. Reeder musterte ihn wohlwollend über seine Brille hinweg. Er zeigte die erwartungsvolle Haltung eines Mannes, der sich auf Glückwünsche gefasst macht.

«Mein Name ist Mo Liski. Sie haben eine Freundin von mir hinter Gitter gebracht ...»

«Mrs. Plessy?»

«Ja! Hören Sie Reeder, das werden Sie mir büßen!»

Auf der Stelle packte jemand von hinten seinen Arm im Hebelgriff und wirbelte ihn herum. Es war ein städtischer Kriminalbeamter.

«Lassen Sie uns einen Spaziergang machen», sagte er.

Mo erblasste. Schließlich verdankte er seine unantastbare Position dem Umstand, dass er nie verurteilt worden war: Sein Name stand noch nicht in den Polizeiakten.

"What's the charge?" he asked huskily.

"Intimidation of a Crown witness and using threatening language," said the officer.

Mo came up before the Aldermen at the Guildhall the next morning and was sent to prison for three weeks, and Mr. Reeder, who knew the threat would come and was ready to counter with the traditional swiftness of the mamba, felt that he had scored a point. The gang leader was, in the parlance of the law, "a convicted person."

"I don't think anything will happen until he comes out," he said to Pyne, when he was offered police protection. "He will find a great deal of satisfaction in arranging the details of my – um – 'bashing,' and I feel sure that he will postpone action until he is free. I had better have that protection until he comes out – "

"After he comes out, you mean?"

"Until he comes out," insisted Mr. Reeder carefully. "After – well – um – I'd rather like to be unhampered by – um – police protection."

Mo Liski came to his liberty with all his senses alert. The cat-caution which had, with only one break, kept him clear of trouble, dominated his every plan. Cold-bloodedly he cursed himself for jeopardising his emerald deal, and his first step was to get into touch with El Rahbut.

But there was a maddening new factor in his life: the bitter consciousness of his fallibility and the fear that the men he had ruled so completely might, in consequence, attempt to break away from their allegiance. There was something more than sentiment behind this fear. Mo drew close on fifteen thousand a year from his racecourse

«Wie lautet die Anklage?», fragte er mit rauer Stimme.

«Einschüchterung und Bedrohung eines Kronzeugen», erwiderte der Beamte.

Am nächsten Morgen wurde Mo in der Guildhall den Ratsherren vorgeführt und zu drei Wochen Gefängnis verurteilt. Mr. Reeder, der wusste, dass er in Gefahr schwebte, und bereit war, mit der Schnelligkeit einer Mamba zurückzuschlagen, glaubte einen Punkt für sich verbuchen zu können. Der Bandenführer war, juristisch gesprochen, «straffällig geworden».

«Meiner Meinung nach wird nichts passieren, solange er im Gefängnis sitzt», sagte er zu Pyne, als ihm Polizeischutz angeboten wurde. «Es wird ihm eine große Genugtuung sein, die Details meiner – ehem – ‹Abreibung› zu planen. Sicher wird er erst zuschlagen, wenn er wieder in Freiheit ist. Es wäre besser, ich hätte diesen Schutz, bis er entlassen wird ...»

«Sie meinen, nachdem er entlassen ist?»

«Bis er entlassen ist», beharrte Mr. Reeder sanft. «Danach, nun ja – ehem –, würde ich mich lieber ungehindert bewegen können, ohne – ehem – Polizeischutz.»

Als Mo Liski aus dem Gefängnis kam, befanden sich alle seine Sinne in Alarmbereitschaft. Die nervöse Wachsamkeit, die ihn bis auf eine einzige Ausnahme aus jeglichem Ärger herausgehalten hatte, beherrschte alle seine Pläne. Kaltblütig verfluchte er sich dafür, sein Smaragdgeschäft gefährdet zu haben, und nahm als Erstes Verbindung mit El Rahbut auf.

Doch etwas in seinem Leben hatte sich auf bestürzende Weise verändert: Er musste sich eingestehen, dass er fehlbar war, und befürchtete deshalb, dass ihm die Männer, über die er bislang uneingeschränkt geherrscht hatte, die Gefolgschaft aufkündigen könnten. Hinter dieser Angst verbargen sich nicht nur verletzte Gefühle. Allein von seinen Opfern auf der Rennbahn und in den Spielclubs kas-

and club-house victims alone. There were pickings on the side: his "crowd" largely controlled a continental drug traffic worth thousands a year. Which may read romantic and imaginative, but was true. Not all the "bunce" came to Mo and his men. There were pickings for the carrion fowl as well as for the wolves.

He must fix Reeder. That was the first move. And fix him so that there was no recoil. To beat him up one night would be an easy matter, but that would look too much like carrying into execution the threat which had put him behind bars. Obviously some ingenuity was called for; some exquisite punishment more poignant than the shock of clubs.

Men of Mr. Liski's peculiar calling do not meet their lieutenants in dark cellars, nor do they wear cloaks or masks to disguise their identities. The big six who controlled the interests serving Mo Liski came together on the night of his release, and the gathering was at a Soho restaurant, where a private dining-room was engaged in the ordinary way.

"I'm glad nobody touched him whilst I was away," said Mo with a little smile. "I'd like to manage this game myself. I've been doing some thinking whilst I was in bird, and there's a good way to deal with him."

"He had two coppers with him all the time, or I'd have coshed him for you, Mo," said Teddy Alfield, his chief of staff.

"And I'd have coshed you, Teddy," said Mr. Liski ominously. "I left orders that he wasn't to be touched, didn't I? What do you mean by 'you'd have coshed him'?"

Alfield, a big-shouldered man whose speciality

sierte Mo an die Fünfzehntausend im Jahr. Dann gab es noch Nebeneinkünfte. Seine «Männer» kontrollierten weitgehend den Drogenhandel mit dem Festland, der mehrere Tausend im Jahr einbrachte. Es mochte sich zwar romantisch und märchenhaft anhören, aber es stimmte. Der «Zaster» ging nicht ausschließlich an Mo und seine Männer; es fiel nicht nur für die Wölfe etwas ab, sondern auch für die Aasfresser.

Er musste Reeder erledigen, das war der erste Schritt. Und zwar endgültig erledigen. Natürlich könnte er ihn einfach eines Abends zusammenschlagen, aber das sähe dann zu sehr danach aus, als hätte er die Drohung wahr gemacht, die ihn hinter Gitter gebracht hatte. Hier war ganz klar Finesse gefordert; er brauchte eine exquisite Bestrafung, die besser wirkte als jeder Schlagstock.

Männer vom besonderen Stande des Mr. Liski treffen sich mit ihren Gefolgsleuten nicht in dunklen Kellern, auch tragen sie keine Mäntel oder Masken, um ihre Identität zu verbergen. Die sechs Anführer, die Mo Liskis Interessen vertraten, kamen am Abend seiner Haftentlassung in einem Restaurant in Soho zusammen, wo man wie üblich ein separates Speisezimmer belegte.

«Ich bin froh, dass ihm während meiner Abwesenheit niemand ein Haar gekrümmt hat», sagte Mo Liski mit der Andeutung eines Lächelns. «Dieses Geschäft will ich selbst erledigen. Im Kittchen habe ich viel nachgedacht. Es gibt eine gute Methode, mit ihm fertig zu werden.»

«Er hatte die ganze Zeit zwei Polypen im Schlepptau, sonst hätte ich ihn für dich kaltgemacht, Mo», sagte sein Stabschef Teddy Alfield.

«Dann hätte ich dich kaltgemacht, Teddy», sagte Mr. Liski drohend. «Ich hatte doch angeordnet, dass man ihn in Ruhe lässt, oder? Was soll das heißen, ‹du hättest ihn kaltgemacht›?»

Dazu fiel Alfield, einem breitschultrigen Mann, dessen

was the "knocking-off" of unattended motor-cars, grew incoherent.

"You stick to your job," snarled Mo. "I'll fix Reeder. He's got a girl in Brockley; a young woman who is always going about with him – Belman's her name and she lives nearly opposite his house. We don't want to beat him up – yet. What we want to do is to get him out of his job, and that's easy. They fired a man in the Home Office last week because he was found at the '95' Club after drinking hours."

He outlined a simple plan.

Margaret Belman left her office one evening and, walking to the corner of Westminster Bridge and the Embankment, looked around for Mr. Reeder. Usually, if his business permitted, he was to be found hereabouts, though of late the meetings had been very few, and when she had seen him he was usually in the company of two glum men who seated themselves on either side of him.

She let one car pass, and had decided to catch the second which was coming slowly along the Embankment, when a parcel dropped at her feet. She looked round to see a pretty, well-dressed woman swaying with closed eyes, and had just time to catch her by the arm before she half collapsed. With her arm round the woman's waist she assisted her to a seat providentially placed hereabouts.

"I'm so sorry – thank you ever so much. I wonder if you would call me a taxi?" gasped the fainting lady.

She spoke with a slightly foreign accent, and had the indefinable manner of a great lady; so Margaret thought.

Spezialität es war, unbewachte Autos «auf die Seite zu bringen», nichts mehr ein.

«Halt du dich da raus», schnaubte Mo. «Reeder knöpfe ich mir selbst vor. Er hat ein Mädchen in Brockley, eine junge Frau, die man häufig in seiner Gesellschaft sieht. Sie heißt Belman und wohnt fast gegenüber von ihm. Fürs Erste wollen wir ihn noch nicht zusammenschlagen, sondern ihn um seinen Job bringen, und das ist leicht. Letzte Woche haben sie im Innenministerium einen Mann gefeuert, weil er nach der Sperrstunde im Club 95 gesehen wurde.»

Er legte seinen einfachen Plan dar.

Eines Abends nach Büroschluss ging Margaret Belman zur Ecke Westminster Bridge und Embankment, wo sie sich nach Mr. Reeder umsah. Wenn seine Geschäfte es erlaubten, war er normalerweise in dieser Gegend zu finden, allerdings hatten sie sich in letzter Zeit nicht oft gesehen, und wenn, war er meist in Begleitung von zwei düsteren Männern gewesen, die sich rechts und links von ihm postierten.

Sie ließ eine Straßenbahn vorbeifahren und hatte gerade beschlossen, die nächste zu nehmen, die sich langsam von der Embankment her näherte, als ihr ein Paket vor die Füße fiel. Sie blickte sich um und sah eine hübsche, gut gekleidete Frau, die schwankte und die Augen geschlossen hielt. Margaret bekam sie gerade noch unterm Arm zu fassen, bevor sie fast zusammenbrach. Den Arm um die Taille der Frau gelegt, half sie ihr zu einer Bank, die glücklicherweise in der Nähe stand.

«Es tut mir entsetzlich leid – vielen, vielen Dank. Ob Sie mir wohl bitte ein Taxi rufen würden?», keuchte die Frau, die einer Ohnmacht nahe war.

Sie sprach mit leicht ausländischem Akzent, und Mary glaubte das schwer zu beschreibende Benehmen einer vornehmen Dame auszumachen.

Beckoning a cab, she assisted the woman to enter.

"Would you like me to go home with you?" asked the sympathetic girl.

"It would be good of you," murmured the lady, "but I fear to inconvenience you – it was so silly of me. My address is 105, Great Claridge Street."

She recovered sufficiently on the journey to tell Margaret that she was Madame Lemaire, and that she was the widow of a French banker. The beautiful appointments of the big house in the most fashionable part of Mayfair suggested that Madame Lemaire was a woman of some wealth. A butler opened the door, a liveried footman brought in the tea which Madame insisted on the girl taking with her.

"You are too good. I cannot be thankful enough to you, mademoiselle. I must know you better. Will you come one night to dinner? Shall we say Thursday?"

Margaret Belman hesitated. She was human enough to be impressed by the luxury of the surroundings, and this dainty lady had the appeal of refinement and charm which is so difficult to resist.

"We will dine tete-a-tete, and after – some people may come for dancing. Perhaps you have a friend you would like to come?"

Margaret smiled and shook her head. Curiously enough, the word "friend" suggested only the rather awkward figure of Mr. Reeder, and somehow she could not imagine Mr. Reeder in this setting.

When she came out into the street and the butler had closed the door behind her, she had the first shock of the day. The object of her thoughts was standing on the opposite side of the road, a furled umbrella hooked to his arm.

"Why, Mr. Reeder!" she greeted him.

Sie winkte ein Taxi herbei und half der Frau hinein.

«Möchten Sie, dass ich Sie nach Hause begleite?», fragte das mitfühlende Mädchen.

«Das wäre nett von Ihnen», hauchte die Dame, «aber ich will Ihnen keine Unannehmlichkeiten bereiten. Wie dumm von mir. Meine Adresse lautet 105, Great Claridge Street.»

Während der Fahrt erholte sie sich so weit, dass sie sich Margaret als Madame Lemaire, die Witwe eines französischen Bankiers, vorstellen konnte. Die gehobene Ausstattung des großen Hauses im vornehmsten Teil von Mayfair legte nahe, dass Madame Lemaire eine recht wohlhabende Dame war. Ein Butler öffnete die Tür und ein Diener in Livré brachte den Tee, zu dem Madame das Mädchen unbedingt einladen wollte.

«Sie sind zu nett. Ich weiß gar nicht, wie ich Ihnen danken kann, Mademoiselle. Ich möchte Sie unbedingt näher kennenlernen. Würden Sie mich einmal zum Dinner besuchen? Sagen wir, am Donnerstag?»

Margaret Belman zögerte. Sie war nur ein Mensch und von dem Luxus um sie herum beeindruckt; außerdem fand sie die charmante und kultivierte Art dieser reizenden Dame nahezu unwiderstehlich.

«Wir werden allein speisen, später kommen dann vielleicht noch ein paar Leute zum Tanzen. Haben Sie womöglich einen Freund, den Sie gerne einladen möchten?»

Margaret schüttelte lächelnd den Kopf. Merkwürdigerweise fiel ihr bei dem Wort «Freund» nur der ziemlich linkische Mr. Reeder ein, und den konnte sie sich in dieser Umgebung irgendwie nicht vorstellen.

Als sie wieder draußen auf der Straße war und der Butler die Tür hinter ihr geschlossen hatte, bekam sie den ersten Schrecken des Tages. Ihr gegenüber auf der anderen Straßenseite stand der, an den sie gerade gedacht hatte. An seinem Arm hing ein zusammengerollter Regenschirm.

«Na so was, Mr. Reeder!», grüßte sie ihn.

"You had seven minutes to spare," he said, looking at his big-faced watch. "I gave you half an hour – you were exactly twenty-three minutes and a few odd seconds."

"Did you know I was there?" she asked unnecessarily.

"Yes – I followed you. I do not like Mrs. Annie Feltham – she calls herself Madame something or other. It is not a nice club."

"Club!" she gasped.

Mr. Reeder nodded.

"They call it the Muffin Club. Curious name – curious members. It is not nice."

She asked no further questions, but allowed herself to be escorted to Brockley, wondering just why Madame had picked upon her as a likely recruit to the gaieties of Mayfair.

And now occurred the succession of incidents which at first had so puzzled Mr. Liski. He was a busy man, and almost regretted that he had not postponed putting his plan of operation into movement. That he had failed in one respect he discovered when by accident, as it seemed, he met Mr. Reeder face to face in Piccadilly.

"Good morning, Liski," said Mr. Reeder, almost apologetically. "I was so sorry for that unfortunate contretemps, but believe me, I bear no malice. And whilst I realise that in all probability you do not share my sentiments, I have no other wish than to live on the friendliest terms with you."

Liski looked at him sharply. The old man was getting scared, he thought. There was almost a tremble in his anxious voice when he put forward the olive branch.

"That's all right, Mr. Reeder," said Mo, with his

«Sie hatten noch sieben Minuten», sagte er und schaute auf das große Zifferblatt seiner Uhr. «Ich habe Ihnen eine halbe Stunde gegeben – Sie haben genau dreiundzwanzig Minuten und ein paar Sekunden gebraucht.»

«Sie wussten, dass ich hier war?», fragte sie unnötigerweise.

«Ja. Ich bin Ihnen gefolgt. Mir gefällt Mrs. Annie Feltham nicht – sie nennt sich Madame soundso. Das ist kein guter Club.»

«Club!», staunte sie.

Mr. Reeder nickte.

«Sie nennen ihn den Muffin Club. Merkwürdiger Name, merkwürdige Mitglieder. Keine gute Adresse.»

Sie stellte keine weiteren Fragen, ließ sich aber von ihm nach Brockley begleiten. Wie kam Madame nur dazu, ausgerechnet sie für die Vergnügungen Mayfairs anzuwerben?

Und dann kam es zu der Folge von Ereignissen, die Mr. Liski anfangs so viel Kopfzerbrechen bereiteten. Er war ein vielbeschäftigter Mann und bedauerte es fast, sich mit der Umsetzung seines Schlachtplans nicht mehr Zeit gelassen zu haben. Dass er in einem Punkt gescheitert war, erfuhr er, als er, scheinbar zufällig, in Piccadilly Mr. Reeder persönlich über den Weg lief.

«Guten Morgen, Liski», sagte Mr. Reeder. Es klang fast, als wolle er sich entschuldigen. «Unsere unselige Begegnung hat mir wirklich sehr leid getan. Bitte glauben Sie mir, dass ich nicht nachtragend bin. Wenngleich mir bewusst ist, dass Sie in dieser Hinsicht höchstwahrscheinlich andere Gefühle hegen, ist es mein größter Wunsch, auf freundschaftlichem Fuße mit Ihnen zu stehen.»

Liski blickte ihn kritisch an. Wahrscheinlich bekam der Alte Angst. Seine Stimme hatte fast ein wenig gezittert, als er ihm das Friedensangebot machte.

«Schon gut, Mr. Reeder», sagte Mo mit seinem char-

most charming smile. "I don't bear any malice either. After all, it was a silly thing to say, and you have your duty to do."

He went on in this strain, stringing platitude to platitude, and Mr. Reeder listened with evidence of growing relief.

"The world is full of sin and trouble," he said, shaking his head sadly; "both in high and low places vice is triumphant, and virtue thrust, like the daisies, underfoot. You don't keep chickens, do you, Mr. Liski?"

Mo Liski shook his head.

"What a pity!" sighed Mr. Reeder. "There is so much one can learn from the domestic fowl! They are an object lesson to the unlawful. I often wonder why the Prison Commissioners do not allow the convicts at Dartmoor to engage in this harmless and instructive hobby. I was saying to Mr. Pyne early this morning, when they raided the Muffin Club – what a quaint title it has – "

"Raided the Muffin Club?" said Mo quickly. "What do you mean? I've heard nothing about that."

"You wouldn't. That kind of institution would hardly appeal to you. Only we thought it was best to raid the place, though in doing so I fear I have incurred the displeasure of a young lady friend of mine who was invited to dinner there tomorrow night. As I say, chickens – "

Now Mo Liski knew that his plan had miscarried. Yet he was puzzled by the man's attitude.

"Perhaps you would like to come down and see my Buff Orpingtons, Mr. Liski? I live in Brockley." Reeder removed his glasses and

mantesten Lächeln. «Auch ich bin nicht nachtragend. Schließlich war es dumm von mir, so etwas zu sagen, und Sie müssen Ihre Pflicht tun.»

In diesem Ton schwadronierte er weiter und reihte Gemeinplatz an Gemeinplatz. Mr. Reeder schien mit wachsender Erleichterung zuzuhören.

«Die Welt ist ein Sündenpfuhl», sagte er und schüttelte dazu traurig den Kopf. «Das Laster triumphiert überall, ob in besseren oder in schlechteren Kreisen, während die Tugend wie ein Gänseblümchen mit Füßen getreten wird. Sie halten nicht zufällig Hühner, Mr. Liski?»

Mo Liski schüttelte den Kopf.

«Wie schade!», seufzte Mr. Reeder. «Man kann so viel vom Haus-Geflügel lernen! Dem Gesetzesbrecher dient es als wandelndes Beispiel. Immer wieder frage ich mich, warum die Verantwortlichen für den Strafvollzug nicht erlauben, dass die Häftlinge im Zuchthaus von Dartmoor diesem harmlosen und lehrreichen Hobby nachgehen. Erst heute Morgen sagte ich zu Mr. Pyne, der gerade eine Razzia im Muffin Club durchgeführt hatte – ist das nicht ein wunderlicher Name …»

«Eine Razzia im Muffin Club?», unterbrach ihn Mo. «Wie meinen Sie das? Davon habe ich nichts gehört.»

«Wie auch? Diese Art Etablissement würde Ihnen sicher nicht zusagen. Wir hielten eine Razzia für angebracht, auch wenn ich mir damit leider das Missfallen einer mir bekannten jungen Dame zugezogen habe, die für morgen Abend eine Einladung zum Dinner dort hatte. Wie schon gesagt, Hühner …»

Da wusste Mo Liski, dass sein Plan fehlgeschlagen war. Worauf aber sein Gegenüber hinauswollte, blieb ihm ein Rätsel.

«Hätten Sie Lust, bei mir vorbeizukommen und sich meine Buff Orpingtons anzuschauen, Mr. Liski? Ich wohne in Brockley.» Reeder nahm seine Brille ab und sah seinen

glared owlishly at his companion. "Say at nine o'-
clock tonight; there is so much to talk about. At the
same time, it would add to the comfort of all concerned if you did not arrive – um – conspicuously:
do you understand what I mean? I should not like
the people of my office, for example, to know."

A slow smile dawned on Liski's face. It was his
faith that all men had their price, whether it was
paid in cash or terror; and this invitation to a secret
conference was in a sense a tribute to the power he
wielded.

At nine o'clock he came to Brockley, half hoping
that Mr. Reeder would go a little farther along the
road which leads to compromise. But, strangely
enough, the elderly detective talked of nothing but
chickens. He sat on one side of the table, his hands
clasped on the cloth, his voice vibrant with pride as
he spoke of the breed that he was introducing to the
English fowl-house, and, bored to extinction, Mo
waited.

"There is something I wanted to say to you, but
I fear that I must postpone that until another meeting," said Mr. Reeder, as he helped his visitor on
with his coat. "I will walk with you to the corner of
Lewisham High Road: the place is full of bad characters, and I shouldn't like to feel that I had endanger-
ed your well-being by bringing you to this lowly
spot."

Now, if there is one place in the world which is
highly respectable and free from the footpads which
infest wealthier neighbourhoods, it is Brockley
Road. Liski submitted to the company of his
host, and walked to the church at the end of the
road.

"Good-bye, Mr. Liski," said Reeder earnestly. "I

Gesprächspartner mit einem Eulenblick an. «Sagen wir, heute Abend um neun. Wir haben so viel zu reden. Allerdings wäre es für alle Beteiligten angenehmer, wenn Sie Ihren Besuch – ehem – diskret halten würden. Ich möchte zum Beispiel nicht, dass man in meinem Büro davon erfährt.»

Langsam zeichnete sich ein Lächeln auf Liskis Gesicht ab. Er glaubte fest daran, dass jeder Mensch seinen Preis hatte, entweder bekam man ihn gegen Bargeld oder durch Bedrohungen. Diese Einladung zu einer geheimen Unterredung war eine Art Tribut an seine Macht.

Als er um neun Uhr in Brockley eintraf, hegte er die leise Hoffnung, dass Mr. Reeder ihm vielleicht weitere Zugeständnisse machen würde. Doch merkwürdigerweise redete der ältere Kriminalbeamte über nichts anderes als Hühner. Er saß ihm am Tisch gegenüber, die verschränkten Hände auf der Tischdecke ruhend, und erzählte ihm mit vor Stolz bebender Stimme von der Rasse, die er dem englischen Geflügelverband vorzustellen gedachte. Der tödlich gelangweilte Mo wartete.

«Es gibt da noch etwas, das ich Ihnen sagen wollte, aber ich fürchte, ich muss es bis auf unser nächstes Treffen verschieben», sagte Mr. Reeder, als er seinem Besucher in den Mantel half. «Ich werde Sie bis zur Ecke der Lewisham High Road begleiten. In dieser Gegend wimmelt es von finsteren Gestalten, und ich will mir nicht vorwerfen müssen, Sie in Gefahr gebracht zu haben, indem ich Sie an diesen schäbigen Ort lockte.»

Wenn es auf dieser Welt einen Ort gibt, der wirklich ehrbar und frei von den Wegelagerern ist, die sich in den wohlhabenderen Gegenden herumtreiben, dann ist das die Brockley Road. Liski fügte sich seinem Gastgeber und ließ sich von ihm bis zur Kirche am Ende der Straße begleiten.

«Auf Wiedersehen, Mr. Liski», sagte Reeder ernst.

shall never forget this pleasant meeting. You have been of the greatest help and assistance to me. You may be sure that neither I nor the department I have the honour to represent will ever forget you."

Liski went back to town, a frankly bewildered man. In the early hours of the morning the police arrested his chief lieutenant, Teddy Alfield, and charged him with a motor-car robbery which had been committed three months before.

That was the first of the inexplicable happenings. The second came when Liski, returning to his flat off Portland Place, was suddenly confronted by the awkward figure of the detective.

"Is that Liski?" Mr. Reeder peered forward in the darkness. "I'm so glad I've found you. I've been looking for you all day. I fear I horribly misled you the other evening when I was telling you that Leghorns are unsuitable for sandy soil. Now on the contrary – "

"Look here, Mr. Reeder, what's the game?" demanded the other brusquely.

"The game?" asked Reeder in a pained tone.

"I don't want to know anything about chickens. If you've got anything to tell me worth while, drop me a line and I'll come to your office, or you can come to mine."

He brushed past the man from the Public Prosecutor's Department and slammed the door of his flat behind him. Within two hours a squad from Scotland Yard descended upon the house of Harry Merton, took Harry and his wife from their respective beds, and charged them with the unlawful possession of stolen jewellery which had been traced to a safe deposit.

«Ich werde diese nette Begegnung immer in Erinnerung behalten. Sie waren mir wirklich sehr nützlich und hilfreich. Ich versichere Ihnen, dass weder ich noch die Abteilung, die zu vertreten ich die Ehre habe, Sie jemals vergessen werden.»

Durch und durch verwirrt ging Liski in die Stadt zurück. In den frühen Morgenstunden nahm die Polizei seinen ersten Stellvertreter Teddy Alfield fest. Ihm wurde ein Autodiebstahl zur Last gelegt, der bereits drei Monate zurücklag.

Das war der erste unerklärliche Vorfall. Als Liski eines Tages in sein Haus am Portland Place zurückkehrte und plötzlich den unbeholfenen Kriminalbeamten vor sich stehen sah, kam es zum zweiten.

«Sind Sie das, Liski?» Mr. Reeder spähte durch die Dunkelheit. «Gut, dass ich Sie gefunden habe, ich habe Sie schon den ganzen Tag gesucht. Leider habe ich Sie neulich Abend, als ich Ihnen erzählte, dass Leghorns für sandigen Boden nicht geeignet sind, schrecklich falsch informiert. Sie sind nämlich ganz im Gegenteil ...»

«Also, Mr. Reeder, was wird hier gespielt?», fragte der andere kurz angebunden.

«Gespielt?», fragte Reeder in gequältem Ton.

«Ich habe keinerlei Interesse an Hühnern. Wenn Sie mir etwas zu sagen haben, das der Rede wert ist, schreiben Sie mir, dann komme ich in Ihr Büro oder Sie können mich in meinem besuchen.»

Er marschierte an dem Herrn von der Staatsanwaltschaft vorbei und schlug die Wohnungstür hinter sich zu. Zwei Stunden später stürmte ein Kommando von Scotland Yard das Haus von Harry Merton. Harry und seine Frau wurden aus ihren Betten geholt und des unrechtmäßigen Besitzes von gestohlenen Juwelen beschuldigt, die in ihrem sicheren Versteck entdeckt worden waren.

A week later, Liski, returning from a vital interview with El Rahbut, heard plodding steps overtaking him, and turned to meet the pained eye of Mr. Reeder.

"How providential meeting you!" said Reeder fervently. "No, no, I do not wish to speak about chickens, though I am hurt a little by your indifference to this noble and productive bird."

"Then what in hell do you want?" snapped Liski. "I don't want anything to do with you, Reeder, and the sooner you get that into your system the better. I don't wish to discuss fowls, horses – "

"Wait!" Mr. Reeder bent forward and lowered his voice. "Is it not possible for you and me to meet together and exchange confidences?"

Mo Liski smiled slowly.

"Oh, you're coming to it at last, eh? All right. I'll meet you anywhere you please."

"Shall we say in the Mall near the Artillery statue, tomorrow night at ten? I don't think we shall be seen there."

Liski nodded shortly and went on, still wondering what the man had to tell him. At four o'clock he was wakened by the telephone ringing furiously, and learnt, to his horror, that O'Hara, the most trustworthy of his gang leaders, had been arrested and charged with a year-old burglary. It was Carter, one of the minor leaders, who brought the news.

"What's the idea, Liski?" And there was a note of suspicion in the voice of his subordinate which made Liski's jaw drop.

"What do you mean – what's the idea? Come round and see me. I don't want to talk over the phone."

Als Liski eine Woche später von einer wichtigen Unterredung mit El Rahbut zurückkehrte, hörte er hinter sich schleppende Schritte näher kommen. Er drehte sich um und begegnete dem kummervollen Blick Mr. Reeders.

« Was für ein Glück, Sie zu treffen! », sagte Reeder voller Inbrunst. « Nein, nein, ich will gar nicht über Hühner reden, auch wenn mich Ihre Gleichgültigkeit gegenüber diesem edlen und nützlichen Vogel ein wenig traurig macht. »

« Was zum Teufel wollen Sie dann? », schnappte Liski. « Ich will nichts mit Ihnen zu tun haben, Reeder, je eher Sie das kapieren, desto besser. Ich will weder über Geflügel reden, noch über Pferde ... »

« Warten Sie! » Mr. Reeder beugte sich vor und sprach mit leiser Stimme weiter. « Wäre es möglich, dass wir beide uns treffen, um ein paar Vertraulichkeiten auszutauschen? »

Mo Liski begann zu lächeln.

« Aha, kommen Sie endlich zur Sache? Gut. Wo soll ich hinkommen? »

« Sagen wir morgen Abend um zehn in der Mall, in der Nähe des Artillerie-Denkmals? Ich glaube, dort sind wir ungestört. »

Liski nickte knapp und ging weiter. Er überlegte immer noch, was Reeder ihm wohl zu erzählen hatte. Um vier Uhr wurde er vom wilden Klingeln des Telefons geweckt und erfuhr zu seinem Entsetzen, dass man O'Hara, seinen zuverlässigsten Gangsterboss, wegen eines Einbruchs, der schon ein Jahr zurücklag, festgenommen hatte. Die Nachricht wurde ihm von Carter, einem der unteren Bandenführer, überbracht.

« Was soll das, Liski? » In der Stimme seines Untergebenen schwang so viel Misstrauen, dass Liski der Mund offen stehen blieb.

« Was soll das heißen : ‹ Was soll das? › Komm hier vorbei. Ich will nicht am Telefon reden. »

Carter arrived half an hour later, a scowling, suspicious man.

"Now what do you want to say?" asked Mo, when they were alone.

"All I've got to say is this," growled Carter; "a week ago you're seen talking to old Reeder in Lewisham Road, and the same night Teddy Alfield is pinched. You're spotted having a quiet talk with this old dog, and the same night another of the gang goes west. Last night I saw you with my own eyes having a confidential chat with Reeder – and now O'Hara's gone!"

Mo looked at him incredulously.

"Well, and what about it?" he asked.

"Nothing – except that it's a queer coincidence, that's all," said Carter, his lip curling. "The boys have been talking about it: they don't like it, and you can't blame them."

Liski sat pinching his lip, a far-away look in his eyes. It was true, though the coincidence had not struck him before. So that was the old devil's game! He was undermining his authority, arousing a wave of suspicion which, if it were not checked, would sweep him from his position.

"All right, Carter," he said, in a surprisingly mild tone. "It never hit me that way before. Now I'll tell you, and you can tell the other boys just what has happened."

In a few words he explained Mr. Reeder's invitations.

"And you can tell 'em from me that I'm meeting the old fellow tomorrow night, and I'm going to give him something to remember me by."

The thing was clear to him now, as he sat, after the man's departure, going over the events of the past week. The three men who had been arrested had been

Eine halbe Stunde später stand der argwöhnisch und finster dreinblickende Carter vor der Tür.

«Also, was hast du mir zu sagen?», fragte Mo, als sie allein waren.

«Nur eins», knurrte Carter. «Vor einer Woche hat man dich in der Lewisham Road mit dem alten Reeder reden sehen. Am selben Abend haben sie Teddy Alfield geschnappt. Man beobachtet dich bei einem vertraulichen Gespräch mit dem alten Knaben, und am selben Abend erwischt es ein weiteres Bandenmitglied. Gestern Abend habe ich dich mit eigenen Augen mit Reeder zusammen gesehen – und jetzt ist O'Hara dran!»

Mo starrte ihn ungläubig an.

«Na und?», fragte er.

«Nichts, na und. Nur dass es ein seltsamer Zufall ist», sagte Carter und schürzte verächtlich die Lippen. «Die Jungs reden darüber. Es gefällt ihnen nicht, und man kann ihnen da keinen Vorwurf machen.»

Liski saß mit abwesendem Blick da und zwickte sich in die Lippe. Diese Übereinstimmungen waren ihm zwar noch nicht aufgefallen, doch es stimmte. Das war es also, was der alte Teufel im Schilde führte! Er untergrub seine Autorität und löste eine Welle des Misstrauens aus, die ihn, wenn er nicht aufpasste, seine Position kosten würde.

«Na schön, Carter», sagte er in überraschend mildem Ton. «So habe ich das noch gar nicht gesehen. Jetzt sage ich dir, was passiert ist, und du kannst es den anderen Jungs erzählen.»

In wenigen Worten erläuterte er Reeders Einladungen.

«Und bestell ihnen von mir, dass ich den alten Knaben morgen Abend treffe. Ich werde ihm eine Lektion erteilen, die er nicht so schnell vergisst.»

Nachdem der Mann sich verabschiedet hatte, ging er noch einmal die Ereignisse der vergangenen Woche durch. Jetzt war ihm alles klar. Die Polizei hatte schon lange ein

under police suspicion for a long time, and Mo knew that not even he could have saved them. The arrests had been made by arrangement with Scotland Yard to suit the convenience of the artful Mr. Reeder.

"I'll 'artful' him!" said Mo, and spent the rest of the day making his preparations.

At ten o'clock that night he passed under the Admiralty Arch. A yellow mist covered the park, a drizzle of rain was falling, and save for the cars that came at odd intervals towards the palace, there was no sign of life.

He walked steadily past the Memorial, waiting for Mr. Reeder. Ten o'clock struck and a quarter past, but there was no sign of the detective.

"He's smelt a rat," said Mo Liski between his teeth, and replaced the short life-preserver he had carried in his pocket.

It was at eleven o'clock that a patrolling police-constable fell over a groaning something that lay across the sidewalk, and, flashing his electric lamp upon the still figure, saw the carved handle of a Moorish knife before he recognised the pain-distorted face of the stricken Mo Liski.

"I don't quite understand how it all came about," said Pyne thoughtfully. (He had been called into consultation from head-quarters.) "Why are you so sure it was the Moor Rahbut?"

"I am not sure," Mr. Reeder hastened to correct the mistaken impression. "I mentioned Rahbut because I had seen him in the afternoon and searched his lodgings for the emeralds – which I am perfectly sure are still in Morocco, sir." He addressed his chief. "Mr. Rahbut was quite a reasonable man, remembering that he is a stranger to our methods."

Auge auf die drei verhafteten Männer geworfen, Mo wusste, dass nicht einmal er sie hätte retten können. Die Festnahmen waren mit Scotland Yard abgesprochen worden, um dem raffinierten Mr. Reeder entgegenzukommen.

«Dem werde ich zeigen, was ‹raffiniert› ist!», sagte Mo und verbrachte den Rest des Tages mit Vorbereitungen.

Um zehn Uhr abends ging er durch den Admiralty Arch. Über dem Park lag gelber Nebel und es nieselte. Abgesehen von den Autos, die in unregelmäßigen Abständen auf den Palast zufuhren, gab es keine Anzeichen von Leben.

Festen Schrittes ging er am Denkmal vorüber und wartete auf Mr. Reeder. Es schlug zehn, dann Viertel nach zehn, aber von dem Kriminalbeamten fehlte jede Spur.

«Er hat Lunte gerochen», presste Mo zwischen den Zähnen hervor und steckte den kurzen Totschläger, den er in der Hand gehalten hatte, wieder in die Tasche.

Um elf Uhr stolperte ein Streifenpolizist über ein stöhnendes Bündel auf dem Gehweg. Als er den Lichtstrahl seiner Lampe auf das reglose Wesen richtete, sah er erst den verzierten Griff eines Maurendolchs und dann das schmerzverzerrte Gesicht des niedergestochenen Mo Liskis.

«Ich verstehe nicht ganz, wie sich das alles zugetragen hat», sagte Pyne nachdenklich. (Man hatte ihn aus dem Hauptquartier gerufen und zu Rate gezogen.) «Warum sind Sie so sicher, dass es der Maure Rahbut war?»

«Ich bin mir nicht sicher», beeilte sich Mr. Reeder den falschen Eindruck zurechtzurücken. «Ich habe Rahbut erwähnt, Sir, weil ich ihn am Nachmittag aufgesucht und seine Unterkunft nach den Smaragden durchstöbert hatte, die – da bin ich mir vollkommen sicher – immer noch in Marokko sind.» Er wandte sich an seinen Vorgesetzten. «Dafür, dass er sich mit unseren Methoden nicht auskennt, hat Mr. Rahbut recht vernünftig gehandelt.»

"Did you mention Mo Liski at all, Mr. Reeder?" asked the Assistant Public Prosecutor.

Mr. Reeder scratched his chin.

"I think I did – yes, I'm pretty certain that I told him that I had an appointment with Mr. Liski at ten o'clock. I may even have said where the appointment was to be kept. I can't remember exactly how the subject of Liski came up. Possibly I may have tried to bluff this indigenous native – 'Bluff' is a vulgar word, but it will convey what I mean – into the belief that unless he gave me more information about the emeralds, I should be compelled to consult one who knew so many secrets. Possibly I did say that. Mr. Liski will be a long time in hospital, I hear? That is a pity. I should never forgive myself if my incautious words resulted in poor Mr. Liski being taken to the hospital!"

When he had gone, the chief looked at Inspector Pyne. Pyne smiled.

"What is the name of that dangerous reptile, sir?" asked the inspector. "'Mamba,' isn't it? I must remember that."

«Haben Sie eigentlich Mo Liski erwähnt, Mr. Reeder?», fragte der Zweite Staatsanwalt.

Mr. Reeder kratzte sich am Kinn.

«Ich glaube schon. Ja, ich bin mir ziemlich sicher, dass ich dem Mauren gegenüber erwähnt habe, dass ich um zehn mit Mr. Liski verabredet war. Vielleicht habe ich ihm sogar erzählt, wo das Treffen stattfinden sollte. Wie genau wir auf Liski zu sprechen kamen, weiß ich nicht mehr. Vielleicht wollte ich diesen schlauen Eingeborenen bluffen – ‹bluffen› ist ein hässliches Wort, aber es trifft genau das, was ich meine. Er sollte glauben, dass ich jemanden zu Rate ziehen würde, der allerlei Geheimnisse kennt, falls er mir nicht mehr über die Smaragde verriete. Möglicherweise habe ich so etwas gesagt. Stimmt es, dass Mr. Liski länger im Krankenhaus bleiben muss? Das tut mir leid. Ich könnte mir niemals vergeben, wenn meine unbedachten Worte dazu geführt haben sollten, dass der arme Mr. Liski ins Krankenhaus gebracht wurde!»

Als Reeder gegangen war, schaute sein Vorgesetzter Inspektor Pyne an. Pyne lächelte.

«Wie hieß gleich dieses gefährliche Reptil, Sir?», fragte der Inspektor. «Mamba, oder? Das muss ich mir merken.»

Fremdsprachen lernen und Literatur lesen – das kann man mit Hilfe der zweisprachigen Reihe des <u>dtv</u>. Ein Verzeichnis dieser Reihe kann beim Verlag angefordert werden.

Deutscher Taschenbuch Verlag
Friedrichstraße 1a, 80801 München
www.dtv.de zweisprachig@dtv.de